『見知らぬ明日』

リンダは思う存分、久々の涙を流すこともできた。（19ページ参照）

ハヤカワ文庫 JA
〈JA975〉

グイン・サーガ⑬⓪

見知らぬ明日

栗本 薫

早川書房
6588

A FATHOMLESS FUTURE

by

Kaoru Kurimoto

2009

カバー／口絵／挿絵

丹野　忍

目次

〔中原周辺図〕

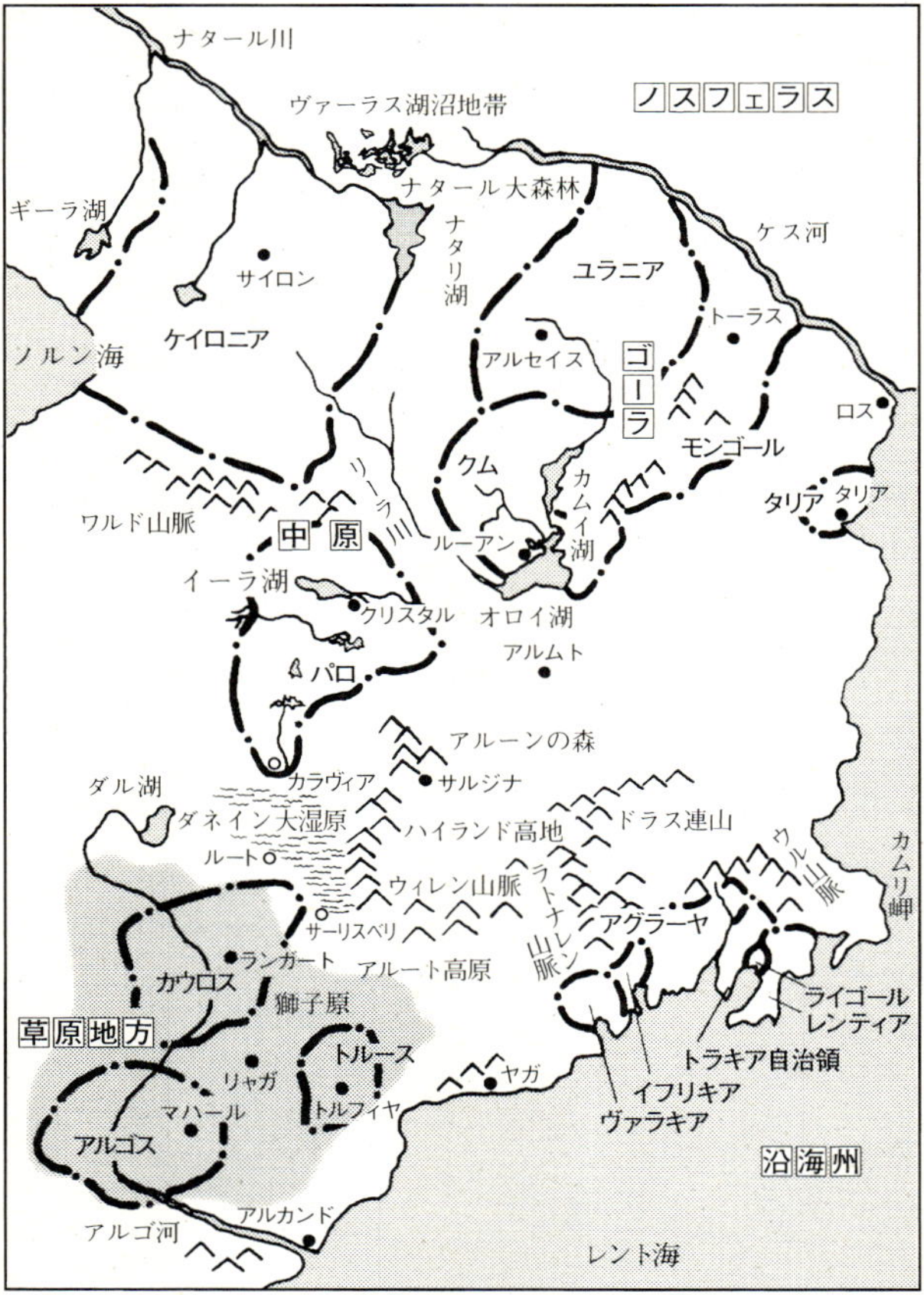

ナタール川
ヴァーラス湖沼地帯
ノスフェラス
ナタール大森林
ギーラ湖
ケス河
ナタリ湖
サイロン
ユラニア
トーラス
ケイロニア
アルセイス
ゴーラ
ノルン海
ロス
モンゴール
クム
リーラ川
カムイ湖
タリア
ワルド山脈
中原
ルーアン
イーラ湖
クリスタル
オロイ湖
アルムト
パロ
アルーンの森
カラヴィア
サルジナ
ダル湖
ダネイン大湿原
ハイランド高地
ドラス連山
ルート
ウル山脈
カムリ岬
ウィレン山脈
ラトナ山脈
アグラーヤ
サーリスベリ
ランガート
アルート高原
カウロス
獅子原
ライゴール
レンティア
草原地方
トルース
トラキア自治領
リャガ
ヤガ
イフリキア
トルフィヤ
マハール
ヴァラキア
アルゴス
沿海州
アルカンド
アルゴ河
レント海

〔パロ周辺図〕

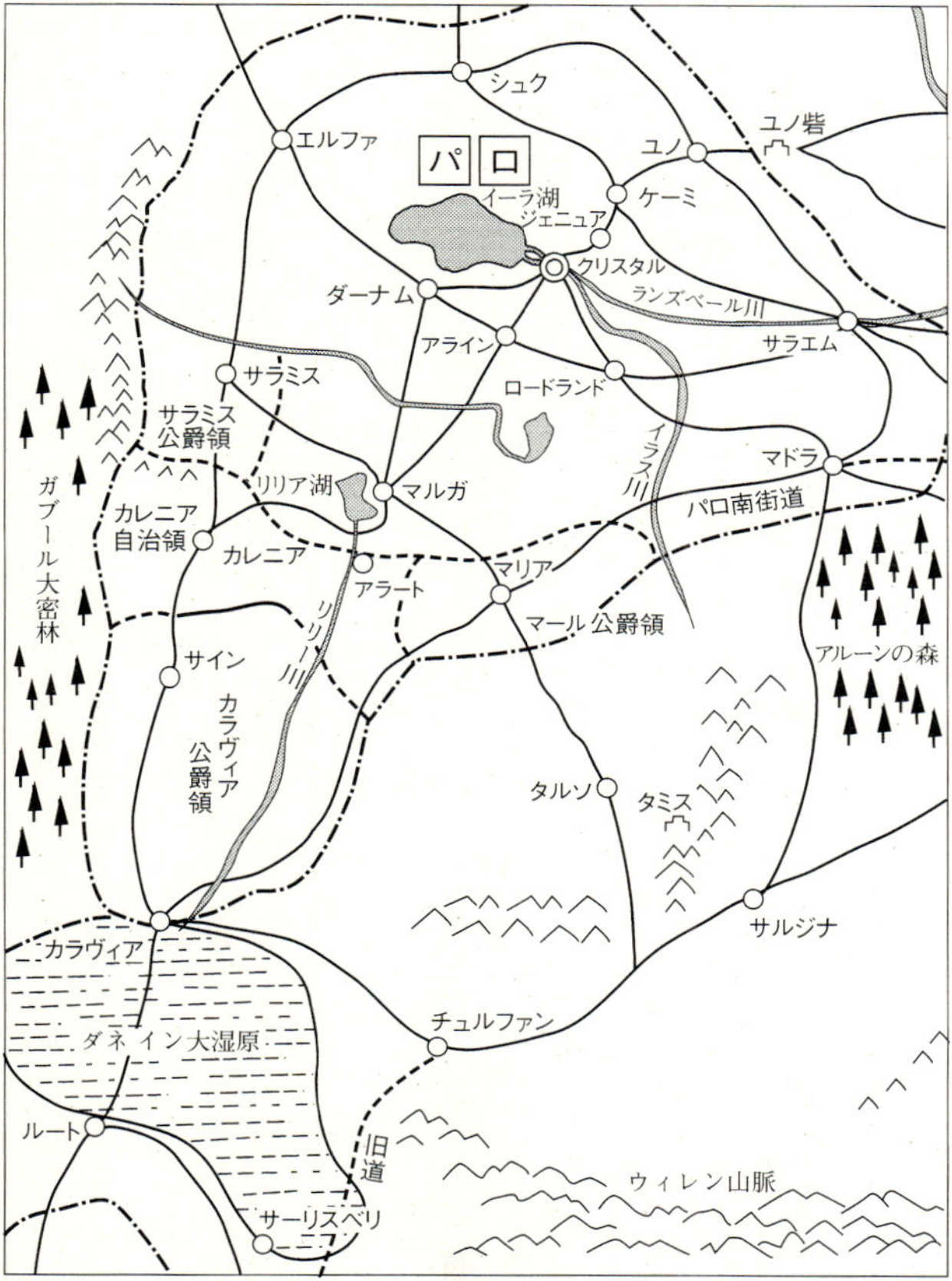
パロ
シュク
エルファ
ユノ砦
ユノ
ケーミ
イーラ湖
ジェニュア
クリスタル
ダーナム
ランズベール川
アライン
サラエム
サラミス
ロードランド
サラミス
公爵領
イラス川
マドラ
リリア湖
マルガ
パロ南街道
カレニア
自治領
カレニア
アラート
マリア
ガブール大密林
マール公爵領
リリア川
サイン
アルーンの森
カラヴィア
公爵領
タルソ
タミス
サルジナ
カラヴィア
チュルファン
ダネイン大湿原
ルート
旧道
ウィレン山脈
サーリスベリ

〔草原地方－沿海州〕

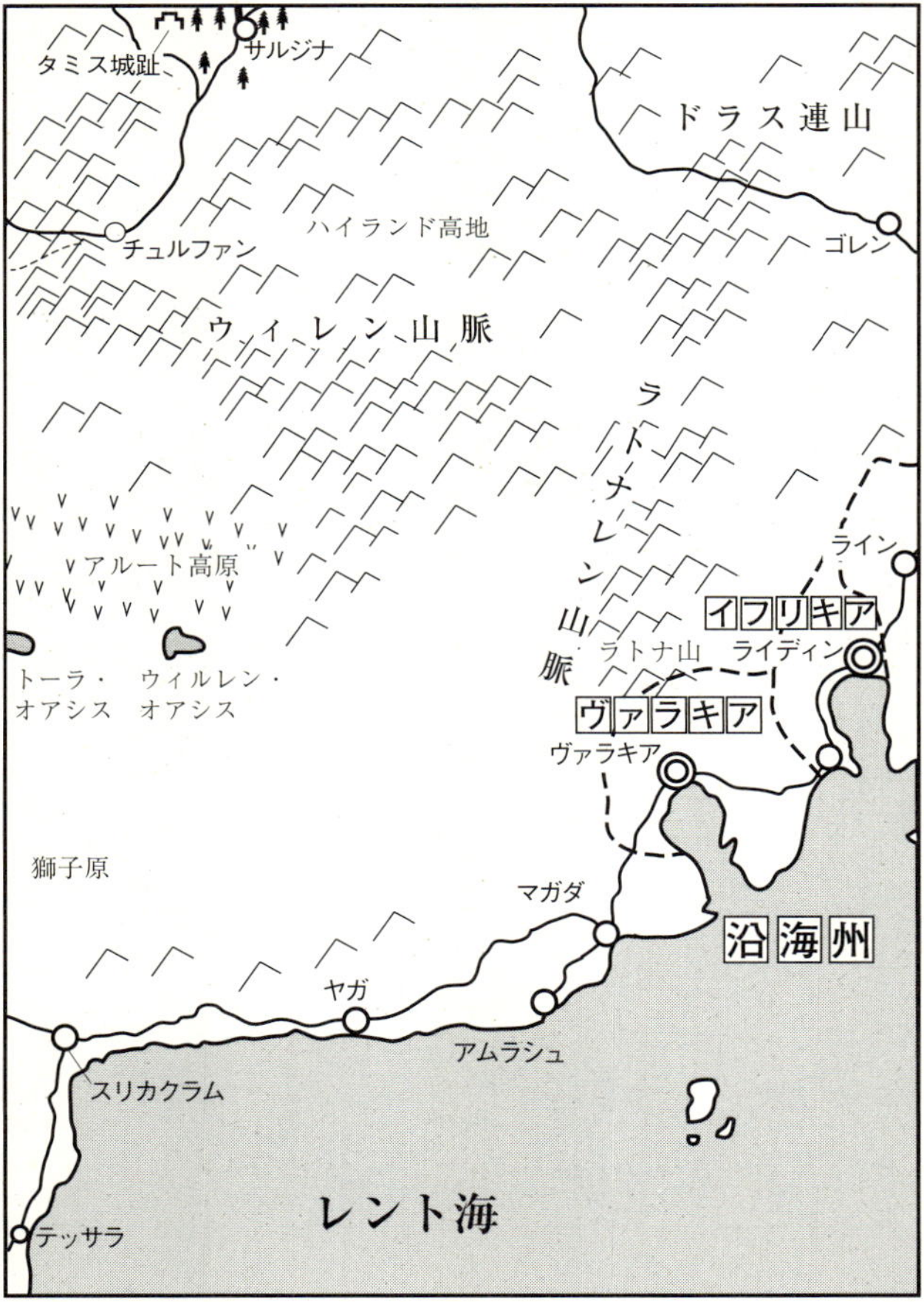
タミス城趾
サルジナ
ドラス連山
ハイランド高地
チュルファン
ゴレン
ウィレン山脈
ラトナレン山脈
ライン
アルート高原
イフリキア
ラトナ山
ライディン
トーラ・オアシス
ウィルレン・オアシス
ヴァラキア
ヴァラキア
獅子原
マガダ
沿海州
ヤガ
アムラシュ
スリカクラム
レント海
テッサラ

見知らぬ明日

登場人物

ヴァレリウス……………………パロ宰相。上級魔道師
リンダ……………………………パロ聖女王
モース……………………………医師
マルコ……………………………ゴーラの親衛隊隊長
イシュトヴァーン………………ゴーラ王

第一話　見知らぬ明日

1

「申し上げます」

あわただしく、パロの魔道師宰相、ヴァレリウス伯爵の執務室に、当番の魔道師が入ってきて膝をついたとき、ヴァレリウスは、机の上に大きな台をおき、その上に黒とまごうほど深い臙脂《えんじ》色の別珍の布をかぶせて、その上にのせた巨大な、それこそヴァレリウスの顔よりも巨大な水晶球をのぞきこみながら、痩せた両手をその水晶球のまわりでいかにも魔道のわざを使っているらしくゆっくりと動かしているところだった。

「ドルスか」

そちらを振り向きもせずにヴァレリウスは云う。

「はい、当番のドルス魔道師にてございます。緊急の御報告につき、あえてお仕事中に入らせていただきました」

「わかってる」

ヴァレリウスの返事はかみつくようだった。

「とっくに、わかっとる。サリウと、バランの心話が消えた」

「え」

ドルスはぎくりとしたようにフードの顔をあげる。

「サ、サリウもでございますか」

「ああ、サリウの部下どもの気配も消えた。バランのもだ。どうやら——我々の送り込んだ魔道師団は、おそらく……なんらかの理由で全滅したと考えなくてはならん」

「バ、バラン団のみならず、サリウ団まで……」

ドルスは言葉を失った。ヴァレリウスはじろりと水晶球ごしにドルスを見た。

「報告がそれだけなら、もう下がってくれ。俺はちょっとなんとかしてサリウかバランの残留思念を追い、ヤガで何が起きているか、その手がかりの一端なりともつかまねばならぬ」

「は、はい——あの、お手伝い出来ますことは……」

「ない」

ヴァレリウスの言葉は無情なまでにきっぱりとしていた。

「これから半ザンのあいだ、執務室のまわりにバリヤーを張るゆえ、お前はそれを強化していろ。そして、どうあっても直接俺が会わなくてはならぬ客人なり用件なりが登場したら、それを心話で俺に伝えるがいい。それが、しいていえばお前に出来る一番の手伝いだ」

「か、かしこまりました」

「女王陛下はどうしていられる」

「いまは、午後の午睡の時間でお部屋にひきとっておられます。まもなくお着替えに入られて、イシュトヴァーン陛下歓送の個人的な晩餐会の御準備に入られるはずです」

「そうか」

ヴァレリウスは一瞬複雑な顔を見せた。

「イシュトヴァーン陛下がクリスタルを発たれるのは明日だったな」

「はい」

イシュトヴァーンの、ひそかな強い希望であったマルガの《アルド・ナリス聖廟》への参詣は、リンダ女王の参詣にまぎれて、なんとか無事にすまされていた。

まあ、もちろん、無事といったところで、マルガ市民が喜んでゴーラ王の参詣を受け入れたわけではなかったし、それゆえに、ヴァレリウスも無事にイシュトヴァーンをマルガにゆかせるために、いろいろと策を弄したり、苦労しなくてはならなかったのだが。

リンダの参詣については何の問題もなかったし、むしろマルガ市民がずっと待ちこががれているものであったから、そちらのほうをあらかじめ大きくマルガに報じさせておき、ただ、リンダからの「マルガの窮状はよくわかっています。それに対して何もしてあげられないのは女王たるわたくしがふがいないから――そのことを考えて、必ず、丁重にもてなしたり、豪華なふるまいが必要だ、などとは考えずにくれるように」という「おことば」をあらかじめマルガ市長あてに送り込んであった。

「もしマルガで食事をする必要があれば、私はマルガの市民たちとまったく同じものを食べたいと思います。マルガの人たちが、野菜のスープと固いパンしかないのだったら、私はそれをいただきたいし、それさえもないのだったら、わたくしの持っていったお菓子をわかちあいましょう。マルガは私たち夫婦のために窮状に陥ったのですから、マルガの現状についてはつねに私は心にかけています」

その手紙を見てマルガ市長と副市長が号泣した、という話も伝わってきていた。

ヴァレリウスはだが、さすがに、パロ女王たるものに野菜スープと固いパンだけの食事をとらせるつもりはなかったので、あらかじめ、リンダの許可を得て、ゴーラ王からの援助物資から、マルガそのものへの援助物資をとりわけ、それは女王よりのたまわりもの、としてかなり豊富な物資をマルガに送っておいた。それをすべて女王をもてなすために使ってしまったりしないように、それは女王の心にも背くことであるから、とくれぐれもの注意とともに送り込まれた物資は、金もあったし、酒の樽もいくつもあったし、そんなものよりももっと、窮状に追い込まれているマルガの人々が待望している、ガティ麦だの、小麦粉だの、また干し肉や乾果などもあった。当然、その一部を使ってマルガはリンダを饗応することになろうが、リンダ女王は自分の必要な分は自分で持参するから、ということも、あらかじめマルガには伝えてあった。それほどに、いまだにマルガの惨状はひどく、復興は遠かったのである。それはひとつには、マルガという小さな町が、それ自体の農地、耕地や果樹園を持ち、自給自足しているわけではなく、その主要な産業と経済的な基盤はマルガに別荘を持っている大貴族、小貴族、裕福なクリスタルの商人たちから落ちる金であった、ということが大きかった。その大貴族たちや裕福な商人そのものが没落したり、あるじが戦死したりしてクリスタルをはなれ、領地のあるものはそちらにひきこもったり、またクリスタルに残っていても、とうていマルガの保養地にのんびりと遊ぶだけのゆとりは持たなくなってしまったりしたために、マルガでの経済が成り立たなくなってしまったのだ。目の前にひろがるリリア湖からのわずかばかりの漁業はまだなんとか続いていたが、今度は、ゴーラ軍の侵攻によってマルガの若い男たち、もうちょっと年輩のものたちまでもがほとんど皆殺しに近い状態になっていたので、漁業といっても、湖の中心部に船を出して魚をとる男たちがおらず、残された老人たちと女子供たちに可能なのは、ほんの小さな小舟を出して湖岸近くであまり大きくない魚を網でとったり、湖に棲んでいる小さな淡水のエビや貝類などを集めたりすることくらいでしかなかったのである。

それでも、マルガは確実になんとかして復興しようと努力しつづけていたし、リリア湖中の小島におかれた、アルド・ナリス聖廟をあらたなマルガの中心として、人々がまた集まってくるマルガにしようと頑張っていたのだった。リンダは、ひさびさに、新婚時代と、そして苦しいアルド・ナリスの闘病生活を送ったマルガにやってきて、あちこちの崩壊したありさまや、うらぶれ、ひとも少なくなった寂しい町の様子を見て涙を禁じ得なかった。

もっとももともと、マルガの人口そのものがそんなに多くはなかったのだが――それでも、ナリスがいたころには、当然のことながら王子を、続いて聖王を守るために多数の騎士団が駐屯していたし、パロ最大の保養地としての名声をほしいままにしていたころには、湖岸にずらりと大貴族の別荘《べっしょ》が立ち並んで、そのあかりが夜になればリリア湖にちらちらと華やかに浮かび、そこで舞踏会が開かれもしたし、魚をとる漁師たちの舟のあかりもまた、リリア湖のさざなみをちらちらと染め上げたのだった。そうして人が動いていれば、町には、いろいろな動きがたえない。それこそが、町の活力のもとであり、町が生きて、動き続けている、ということでもある。

（あなた……やっと、来られましたわ……）

リンダは、マルガにつくとまずはごく少ない供まわりを連れただけで小島にわたり、花をたむけ、香華《こうげ》をたむけて、長いあいだ、ナリスの墓前で亡夫とのひそやかな会話にふけっていた。といって、夫がこたえてくれる、というわけではなかったが。

（本当はもっと……ひと月に一度、いえ、本当のことをいったら十日に一度、もっともっと本心をいえばここで暮らしていたいものだと思うくらいだわ。——でも、そうもゆかなくて……ねえ、あなた、あなたは、ずいぶんと重たい任務を私に残してくださったまま、いってしまわれたのねえ……）

黒いハンカチを顔にあてて、声なく涙を流しながら夫の魂にひそやかに語りかけている女王をおもんばかって、供まわりは外で待っていたし、そこにはスニしかいなかった。それゆえ、リンダは思う存分、久々の涙を流すこともできた。

（なんて短い——なんてはかない結婚生活だったことでしょう。……そのうちの半分以上は、それも看病が主だったし……でも、私は、あなたがいてくれて、本当に嬉しかった。本当に、あなたを愛していたのよ……どんな姿になろうと、どのように病み衰えていようと、ただ——生きていて欲しかった。生きていてくれさえすれば、私は嬉しかった……だのにあなたといえば、あのようなからだで、あんな無謀な——パロのためとはいえ、たたかいに乗り出そうとは……あなた以外の人間だったら、まったくそんなことは夢想だにしなかったに違いないわ。……あなたは、いつだって——正しいと信じたことをなすのに、何ひとつためらうこともなかった……）

(おだやかで、いつも優しくて――私には本当にいつもいつも、荒いことばひとつかけたこともない、不機嫌な顔ひとつ見せたこともない、理想的な良人だったわ。……でもそれがいまとなってはかえって悲しい。もっともっと、我儘を云って欲しかった。妻にしかぶつけられない、苦しみや悩みを、もっと、私だからこそ……ぶつけてくれていたら……そうしたら、きっと、私、もっとあなたの近くにいる、という気持になれたと思うわ……)

語りはじめれば、一晩でも思いはつきないだろう。

ころあいをみて、リンダはそっと合図をした。黒いフードつきのマントをつけた、魔道師ふうにつくろった男が入ってきて、手にした花束をそっと廟の墓前に捧げたが、それはまぎれもなく、ゴーラ王イシュトヴァーンであった。

やはり、マルガ市民の感情を激発させ、ようやく復興にむかいつつあるマルガをふたたびあらぬ方向に導いてしまうことをおそれて、ヴァレリウスとマルガ市長とが相談の上で、そのようなかたちでだけ、ゴーラ王の参詣を許すこととしたのだ。本来であれば、マルガ市民と聖王騎士団の大半の犠牲者はゴーラ軍によって出ていたのであるし、そののちにイシュトヴァーンによって拉致されなければナリスはもしかしたら、いまだにかろうじて生きてはいたかもしれぬのだから、それを考えれば、マルガ市長といえども本当は、イシュトヴァーンをマルガに、まして小島の聖廟に一歩でも足を踏み入れさせる

など、とんでもないことであった。

が、市長がそれを受け入れたのは、ヴァレリウスの説得もあったたし、また、ヴァレリウスが言葉たくみに、イシュトヴァーンがいかにその行動、暴挙を後悔しているか、その詫びを告げたい、というのが今回のクリスタル訪問の最大の目的のひとつであったのだ、それゆえにこそ、マルガの援助もこれだけの量にわたったのだ、と言いくるめたからであった。それでも、「わたくしはさておきまして、実際に身寄りの何人もを失っている者の多いマルガ市民全員を説得する自信は、わたくしにもございませんが……」ということで、結局イシュトヴァーンのマルガ訪問はあくまでも極秘のうちに、魔道師に変装して、リンダの供回りにひそんで単身で、ということになったのである。イシュトヴァーンは、あらかじめある程度の予想はしていたらしく、そのヴァレリウスの提案を大人しく受け入れた。

最初は、身辺を守る精鋭の兵をひきいてマルガに入り、聖廟に詣でてからそのままダネインへ南下してヤガへ向かい、フロリー母子とヨナとを捜す、といっていたイシュトヴァーンだが、そのような計画となったので、きわめて大人しく、リンダの二泊三日でのマルガ行に同行して再びクリスタルに戻ってくることに同意した。

リンダはなるべくマルガに負担をかけたくなかったし、また、イシュトヴァーンがそうして、ごく個人的に、少数の供回りのうちに入っているということも気にかけていたが、イシュトヴァーンはこれまたきわめて紳士的というか、おとなしくしていて、そのマルガ行のあいだ、リンダやヴァレリウスに迷惑をかけたり、おのれの正体がいたずらにばれるような真似は一切しなかった。夜までも他の護衛たち同様に扱うわけにはゆかなかったので、同行したヴァレリウスは、おのれの隣に客室をもうけて、そこに夜だけイシュトヴァーンを泊まらせたが、イシュトヴァーン自身は「俺は他のやつらと一緒でもいっこうにかまわんのだがね」という意見だった。食事についても待遇についても何ひとつ文句をいうでもなかった——というより、それは、なまじほかの随行よりも、むしろイシュトヴァーンのほうが、そういう粗食や野営に近いような状態には馴染んでいたからだろう。リンダは手紙では、野菜スープと固いパンでも、と云ったものの、さすがにそういうわけにもゆかず、リンダにだけは、品数は多くはなかったものの、つねにちゃんとしたパロ宮廷の料理に準ずる、女王の軽食にふさわしいものが用意されていた。リンダはそれをすまながったけれども、ほかのものたちは本当に冗談ごとではなく、野菜スープとガティ麦のパンとせいぜいそこにあぶり肉の一片がつく、という程度であったので、それとまったく同じメニューであったら、リンダには耐えきれなかったかもしれぬ。べつだん、それほど奢侈に走っているわけでもなく、美食を愛しているというわけでもなかったが、そこはそれ、生まれながらに王女として贅沢な境遇しか知らなかった彼女である。もっとも、一回、小島での昼食にガティ麦のパンにはさんだ燻製の魚と乾果だけ、という粗末な食事が出されて、リンダはまったく文句は言わなかったものの、「これを見ると、あのノスフェラスにいたころのことを思い出すわね」とひそかにイシュトヴァーンに云った。イシュトヴァーンは今回のマルガ行でリンダとの間柄を接近させよう、というこころみは、感心にも一切していなかったので、ただ、随身の一人にふさわしく、丁重にうなづいて見せただけだったが。

マルガでの参詣をすませると、最初の夜はリンダはヴァレリウスともどもマルガ市長に招かれて、市長のささやかな宴席に列席し、マルガの将来についての相談をもともにした。翌日は、公式行事として、市長や副市長などマルガのおもだった人々に迎えられて小島の聖廟にあらためて参詣し、そして夜は、マルガにひっそりと隠居している、かつてのナリスの主治医であったモース博士とヴァレリウス宰相のみで、静かな晩餐をとりながら、過ぎし日の思い出話に浸った。ヨナがヤガに下る前に、しばらくマルガに滞在しており、モース博士とも何回か歓談していった、ということは、すでにヴァレリウスは魔道師の情報で知っていたが、博士もヴァレリウスも、リンダ自身もまた、きわめて静かなひそやかな思いで話していたので、そこでそうして話しているとさながら、ヨナ自身までもが、いまは亡きひとびとの列に入ってしまったような、そんな遠くはるかな感じがあった。

「みんな、わたくしのまわりから、去っていってしまいますのね」

リンダは、モース博士に、万感の思いをこめて云ったものであった。

「あのころ、あんなに沢山の人々に囲まれているような気がしていましたのに、気が付いたら、いつのまにか、もうわたくしのかたわらにいつもいてくれるのは、このヴァレリウス宰相と、忠実なスニだけ。――アドリアンもいまは国に帰っているし、ディーン殿下はマリアのほうへまわられたし……もちろん、その人達はまたクリスタルに戻ってくるのですけれどね。でも、わたくし、いまのクリスタル・パレスにいるとときたま、なんともいえない不思議な気分になることがあるんですの。――これは、本当に私の知っていたあのクリスタル・パレスだったんだろうか。優しいお父様と美しいお母様がいらして、可愛い弟のレムスがいて……そうして、カリナエにはナリス兄さまとディーンさまがいて、ファーンさまも足しげく遊びにきてくれたり……沢山の廷臣たちがいて、腰元たち、侍女たちがいて――いつも人で満ちあふれて、どこにいっても人、人、人ばかり、という印象を与えたあのクリスタル・パレスはどこにいってしまったんだろうと。――いまは、クリスタル・パレスのちょっと裏手になると、夕刻などにそのへんを歩いていても、ひととすれちがうことさえありませんわ。以前だったら、あわただしげに夜の支度や仕事に飛び回っている下働きのものたちや、あちらの宮殿からこちらの宮殿へとあわてて移動しようとしている廷臣たちや宮女たちが大急ぎで挨拶をして通り過ぎてゆくのが当り前でしたのに。――でも、マルガにやってきてみて、さらに私、思いましたの。ああ、でもクリスタル・パレスはまだいい。マルガはもう、まるでそれこそ本当に火の消えたようになってしまっているわ。——本当に、マルガがまた、かつてのような、瀟洒で洗練された貴族たちの保養地としてよみがえることは、あるのでしょうかしらねえ。……そのためにはまず、クリスタル・パレスそのもの、いえ、パロそのものが、復興しなくてはならないんですけれど……」

「お焦りにならないことですよ、女王陛下」

白髪温顔のモース博士は、優しくかつての活発だった王女に言い聞かせるように云った。

「都市にもひとにも——そして国にも、なにものにも寿命、定命というものはございます。そうして、都市も国家も、いっとき繁栄をほしいままにすればするほど、そののち、衰えていったときには寂しい思いがするものでございます。——が、もしヤーンがしろしめせば、そうした都市や国家もまた、あらたな——まったくあらたな花の時期を迎えることもございますし、そのときには、かつてとはまたまったく趣きのかわった、あらたで新鮮な花々が咲き誇るものでございますよ。——ただ、人のみは帰って参りません。ひとの青春も若さも追憶も——わたくしなどはもうこのように老いぼれてしまいまして、もうわたくしの若さや青春は二度と帰ってくることがございませんのです。もう、そのことをくやむ年齢でさえなくなりました。いま、わたくしは、追憶のなかでのみ生きておりますから、もう何も悲しいこともございません。沢山の死者たちのほうが、むしろ、昔のことなど何も知らぬ若いひとびとよりも、ずっと身近に思われることもあり、ナリスさまの聖廟を訪れて、ナリスさまの御霊とおことばをかわさせていただいているときが、一番心やすらぐひとときだ、と思えることも多うございます。——でも、女王陛下はまだこんなにもお若くておいでになります。陛下の人生には、まだまだこれから沢山のことがおこり、そしてあらたな繁栄や花盛りの爛漫のときをお迎えになることでございましょう。それを、お恐れにならぬことでございますよ。——陛下はまだたったの二十二歳でおいでになる。二十二歳にしてはあまりにも多くのことをすでに経験されてしまったゆえ、いまのマルガも、クリスタル・パレスも、夢のように思われることもおありでございましょうが——いまのこの、さびれてうら悲しいマルガのありさまや、クリスタル・パレスの様子を、あれは夢だったのだろうか、と思われるときが必ずまいりますよ。にぎやかな人々にかこまれ、華やかな舞踏会や宴席のなかで、伶人たちの音楽と貴族、貴婦人たちのざわめきのなかで、あのひっそりとひとけもなかった、あのときのあれは、あちらが夢だったのだろうか、それとも、いまのこのにぎやかなさんざめきが夢なのだろうか、と不思議に思われるときも必ず参りますよ」

「そうかしら。——そうなのかしら。私、なんだかもう、とてもとても自分が年をとってしまって、女性としての人生はもうすっかり終わったような気がしているのよ」

「何をおっしゃいますやら。女王陛下の女性としての花の盛りはこれから何年もたってのことで、それから何十年も続くことにおなりになりますよ。――陛下は、あまりに早くいろいろなものを駆け抜けられた。じっさいには、いまようやく、さまざまな男性の思慕や求婚を受けられて、女性として目覚められてよいご年令でございますから。くれぐれも、女王としての責務に没頭されるあまり、御自分がごく若い美しい女性である、ということをお忘れにならぬことでございますよ。……この私のような老いぼれでさえ、かつては若かったときがございました。その私の目からも、女王陛下は黒いヴェールをかぶって自らを隠しておられる花のように見えますよ。――いつでも、お疲れになられたときにはマルガにおいでなさいまし。いまのこの、ぼろぼろになったように見えるマルガにも、少しづつ、春の新芽がつき、枯れ木にしか見えぬ木にも枝に小さな蕾が芽吹きはじめていることがおわかりになりましょう。――父を失い、困窮している家庭にも、少しづつ子は育ち、父のかわりに湖に魚をとりに出るようになった少年もおります。父母も家も失った子供たちも、しだいに笑顔を取り戻し、自分たちの手で新しいマルガを築くのだと思うようになっております。――わたくしは、自分の家の裏手に小さな小屋をたてまして、そこで、医療をしていると同時に、戦乱で家族を失った子供たちを養ってやっているのでございます。むろんマルガ市長からも、援助をいただいたり、いろいろと便宜をはかっていただいております。――父をなくしたとき赤ん坊だった子供も、もう自分で歩くようになりました。庇おうとする母の胸に抱かれたまま母を殺された女の子も、ようやくほほえみを取り戻すようになりました。――ヤーンのおぼしめしがあるかぎり、この世は決して捨てたところではございませんよ、女王陛下。わたくしがかようのことを申すのも、まことにおこがましい話でございますが。――まして陛下はまだこんなにもお若くてお美しい。陛下の人生は、これからますますゆたかに、花開いて、香りと輝きにみちたものになってゆかれるのでございますよ」

「まあ、モース先生」

リンダは嬉しそうに微笑んだ。

「このしばらくで、こんなに力をつけていただけるおことばをうかがったのははじめてだわ。――なんだか、久々にナリスの魂とも語り合えたし、わたくし、本当にマルガにきてよかったと思いますわ」

「そう思っていただければ、わたくしにとりましても、何よりの幸いというもので」

温顔をほころばせて、モース博士は云った。

ヴァレリウスは黙って静かに食事を口に運ぶようなそぶりをみせながら――実際には、彼は魔道師食しか口にしなかったので、あくまでもそれはそぶりでしかなかったのだが――その話を聞いていた。モースのことばは、ヴァレリウスの胸にも深くしみてくるものがあった。

（だが、俺は……）

ヴァレリウスは、珍しくそのくらいの逸脱は自分に許してやることにして、高山の炭酸水で割った弱い甘いカラム酒を一口だけ、そっと口に含みながら思っていたのだった。

（だが、俺は……もう終わった人間だ。モース先生のほうがずっとお若い……俺はなんだかもう、何百歳にもなったような気がしている。いまの俺の望みはただ、なるべく早くしなくてはならぬすべての任務をおえて、このマルガにきて——そうだ、モース先生のように暮らすことか……それとも、どこかの深山に入って魔道師としての修行をひっそりと積んで羽化登仙する、それだけなのだがな……）

2

だが、そのヴァレリウスのささやかな望みは、まだまだ、なかなかかなえられそうもなかった。

「ヴァレリウスさま」

ドルス魔道師が、不安そうに声をかけてくる。ヴァレリウスは、はっと現在に引き戻されたように目をあげた。

「ああ――何だ」

「サリウと――バランにつきましては、いかがはからいましょうか」

「いかがはからうもへちまもないわ」

ヴァレリウスは苦い顔をした。

「ヤガで、何か起こっているのだ。それは、二人もの――いや、それぞれに十人ばかり連れていたはずだな、だから、合計すれば二十人もの魔道師がいながら、心話で連絡をとるいとまもなく消滅させられてしまうくらい、異常なことなのだ。――だが、いまヤガにすべての力を振り向けるわけにはゆかん。サイロンでも——サイロンでも何か異変が起きているのは確かなことのようだからな」

「サイロンでも」

ドルスが目を瞠る。

「ああ、だがサイロンは一応表面的には落ち着いているようだ。疫病騒ぎもおさまったようには見受けられる——だが、まだ、選帝侯たち、大貴族たちは誰もサイロンに戻ってきておらん」

「ということは、実際にはまだ……」

ヴァレリウスは苦い顔をした。

「それはわからん」

「ドルニウスがサイロン駐在のカリウスと心話で連絡をとってはいるが、正直、あの二人ではそれほどこみいった心話をサイロンとクリスタルでかわせるほどの力量はない。あいだに何人かの魔道師をたてて中継するかたちになっているから、どうしても、もうひとつ情報の信憑性に信頼がおけぬし、またこちらから聞いてやりたいことも、なんとかしてようやくカリウスに届いたときにはもう時期遅れになってしまっていて、その返事がまたこちらに届いた段階ではすでにもう、事態はまったく新しい展開を見せている、というようなことばかりだ。——じっさい、イライラする。出来ることなら、サイロンへも――ヤガへも、俺が自分自身で入り込んで、この目で実際を確かめたいのだが……」

「そ、それはリンダ陛下がお困りになりますでしょう。ヨナ博士もおいでにならぬいま、ヴァレリウス宰相が国をあけられましては……」

「わかってる。だから、我慢してじっとしているのじゃないか」

ヴァレリウスはもどかしそうに、フードのなかに指をさしこんで髪の毛の根をがしがしひっかいた。

（もし、もうちょっと信頼出来る上級魔道師が何人かいてくれさえしたら、もうちょっとはなんとかなるのだが――だが、いま使えるのはせいぜいドルニウスくらいだ――サリウなどはまったくのかけだしにすぎぬから、あてにはしていなかったが――バランももうちょっとはやってくれるかと思っていたが……）

（それにしても、バランとサリウと、どちらもが、数人の魔道師を、たとえ一番力弱い見習い魔道師とはいえ率いていたはずだが……それももしかして、いっぺんに消滅させられたのだろうか？　消滅、というようなことは……魔道師にはあまりない――切られたり、刺されたりして死ぬときには、ふつうとは違うからだをしている魔道師たちはふつうの人間よりもかなり時間がかかるから、そのあいだに心話で連絡くらいとれるものだ。むろん一瞬に首でも切られてしまえばそうはゆくまいが――これだけ徹底的に連絡がとれなくなってしまう、というのは……）

（いったい、ヤガには何が起こっているのだ。そして、ヤガには――何が存在しているのだ……）

「バランとサリウの件は了解した」

むんずりとヴァレリウスは云った。

「とりあえずお前は下がってよいぞ。お前に出来ることはとりあえずは何もなさそうだからな。――ただ、バランとサリウの隊が全滅したようだ、などという情報は、魔道師の塔には流すな。ギルドにも決して流してはならぬ。これ以上もう、クリスタル・パレスのためには見習いであろうと魔道師は出せぬ、と云われてしまったらおしまいだからな」

「かしこまりました」

ドルスは驚いたようにうなづいた。感情がそのようにおもてにあらわれてしまうのも、ヴァレリウスからみれば、まだまだまったくの駆けだし魔道師であるから、という証拠に思われる。

ドルスが室を出ていってから、ヴァレリウスは、ひょいと空中に気に入りの細長い吸呑みを出現させ、そのなかに入っている、魔道師の好むお茶をひとと口ずーっと啜った。

（ウーム……俺の貧乏くじも、まだ底をつかないというわけか……）

このところ、ヴァレリウスがずっとひそかに頭を悩ましているのは、魔道師の塔の魔道師ギルドと、そしてクリスタル・パレスの魔道師団――それは当然ヴァレリウスの指揮下にあるわけだが――とのあいだの微妙なあつれきについてである。

魔道師ギルドの長であったカロン大導師は、高齢がきわまり、昨年の末についに《入寂》の儀がとりおこなわれていた。そこまで魔道をきわめた魔道師にとっては、死もまた、ただの人間の死とは違う。〈闇の司祭〉を名乗るグラチウスが八百歳のよわいを誇り、《ドールに追われる男》イェライシャが千歳を名乗り、伝説の大導師アグリッパにいたっては三千年をこえる寿命を経てきたとうわさされるように、魔道師の寿命は、世の常の人間より、普通の下級魔道師でも何十年かは長い。その分、いっそう修行をつまなくては、老齢になってからでなくては一人前といわれぬようになってしまうのだが。

カロン大導師の入った《入寂》とは、死ともつかず、また生ともつかぬ、まさにそのちょうど中間にあるような状態に入ることであった。その状態に入ることによって、偉い魔道師たちはまた、さらなる齢を重ねることになるのだ。入寂する魔道師たちは、そのためにもうけられた特別な地下室に入り、そこでほとんどものを飲みもせず、食いもせぬ、即身成仏の修行に入る。基本的にはそれは魔道師の塔の地下にひろがっている地下室であるが、長年のあいだにそこもいつしかいっぱいになってきたので、カロン大導師のように魔道師としての位階をきわめ、魔道師ギルドのなかでその力を認められているもの以外は、別にあらためて郊外にひっそりとした小さな魔道師たちのための僧院、とでもいったものがもうけられていて、その周辺とその地下に《入寂》のための地下室が点在している。

もっともカロン大導師のためには、それまでの先に入寂したものたちの場所をあけてまで、きちんと一室がもうけられたのだ。入寂した魔道師たちは、そのまま実際には、よみがえることなく、ミイラと化し、あるいはもっと修行の足りぬものはごくふつうの死を迎えて死体となって、それがやがて腐敗し、塵にかえってゆく、ということもある。

だが、そのなかで選ばれた魔道師たち――ちゃんと修行をきわめ、おのれのからだを完全に普通の人間から魔道師の特別なからだへと長年のあいだに作り替えることに成功したものは、そうして食べなくなり、飲まなくなっても息絶えることはなく、いわば生と死のはざま、といった状態のまま、何十年、ときには何百年もおかれることになる。そのあいだ、意識があるものは瞑想による修行を続け、むろん意識のないものはそのままおかれるが、そうして何十年、百年の時を経たあとに、入寂からよみがえって出現する魔道師もじっさいに確かに存在するのであり、それをなしとげた魔道師こそは、グラチウスやイェライシャなどのように、天下の大魔道師として畏敬され、また普通の人間では決してもつことのないおおいなる力をもつことが出来るようになるのだった。

魔道師であれば、誰しもそのような成就を望まぬものはいない。だが、このところ、あいつぐ戦乱にかりだされ、そこでいのちを落としたり、また地方や他国への偵察に出されたままになっている魔道師たちがきわめて多く、魔道師の塔の魔道師ギルドはかつての半減といってはすまぬくらい、人数が減っている。

カロン大導師が入寂すれば、当然、次なる大導師がギルド長に昇格して、魔道師の塔を掌握することになるわけだが、そのような事情から、いま現在、カロン大導師のあとめをとるにふさわしいだけの力をそなえた魔道師は、魔道師の塔には存在していない、とみなされていた。次席ギルド長であったミール導師は体調がすぐれず、大導師の試験を失格して、ジェニュアに蟄居《ちっきょ》してあらためて魔道師としての修行につとめている最中であったし、その下には、導師、という地位を得ている魔道師ももういない。その下はいまではいきなり、上級魔道師たるヴァレリウスになってしまうのだ。本来、何人もいたはずの上級魔道師も、いまでは事実上動けるのはヴァレリウスひとりになっている。ロルカたち、ヴァレリウスの親しい同僚であったものたちは、みな、それぞれの役目を命じられて他国に常駐していたり、あるいは忙しく地方をまわっていたりする。パロじゅうの魔道師ギルドの再編成のために、さまざまなしなくてはならぬことがかれらにもあるのだ。

また、ヴァレリウス自身は、正式には、宰相となるために、魔道師ギルドをいったん退いた存在だった。本来ならば、大導師の座をあまり長いことあけておくことはありえないから、多少早いと思われてもヴァレリウスが導師の試験を受け、さらに何年かして大導師として認められて、ギルド長となることが、妥当と言えば妥当かもしれない。だが魔道師宰相として政治にかかわることになったときから、ヴァレリウスは、ギルドの中心人物になる道からは完全にはずされている。それゆえ、いまヴァレリウスが持っている魔道師軍団というのも、すべてこれは「ギルドからの派遣」――あえていうならば「借り物」でしかない。もしもギルドの決定事項と、ヴァレリウスの命令とのあいだに齟齬があれば、それはギルドの命令のほうが優先する。いまのところ、ギルドとヴァレリウスの間柄はそう悪いというわけではないが、それでも「ギルドはいま、ギルドそのものを建て直し、再編するためにきわめて大変な時期にある。もうこれ以上の魔道師のクリスタル・パレスへの派遣は認められない」ということは、大導師のおらぬあいだ、ギルドの動向を決定する役割を持っている導師会議からはっきりと言い渡されている。そうでなくてもまた、魔道師そのものが、きわめて少なくなって、ギルドそのものもあっぷあっぷしていることは確かなのだった。一人前の魔道師を作り上げるには、それこそ最低限三十年、四十年の年月がかかるのだ。

ギルドのほうは、そうして魔道師の数が極端に減ってしまったいま――その原因は主としてアモンとの戦いであったのだが――パロの政治には深入りせず、魔道師ギルドの足元をかため、他の国や地方の魔道師ギルドとの結束を強め、そして若い魔道師の育成にひたすらむかいたい、と願っている。だが、現実にはどうしても、宰相といえど実際に魔道師としてしか生きてこなかったヴァレリウスにとっては、情報を集めるにせよ、手足として動かすにせよ、下級でも見習いでも、魔道師のほうが便利である。普通の騎士や歩兵、伝令兵などを使っていれば、見習い魔道師を使う倍以上の時間がかかる。それが、ヴァレリウスにはもどかしくてたまらない。

ギルドにしてみれば、ヴァレリウス政権の都合のためにはもうこれ以上魔道師ギルドの人数は割けない、というのが最後通牒であり、ヴァレリウスにしてみれば、いまでさえ少ない持ち札を、この上減らされてはもう、自分としてもやってゆけない、というのが正直のところだった。

(それに……)

明日、クリスタル・パレスを出発すると云ってはいるものの、近々とイシュトヴァーンを見ていて、つくづくとヴァレリウスは思うことがある。

(俺は、武将じゃない……)

(当り前だ。俺は、魔道師なんだ……もともと、政治家でもなければ、宰相になんか向いてもいないのだ……)

アルド・ナリスのためと思えばこそ、やむなく引き受けもしたが、しかも魔道師としても、ヴァレリウスは、本当に赤ん坊のときから魔道師ギルドで育成された、生え抜き、というわけではない。かなり大きくなってから、拾われ、資質をかわれて育ててもらった途中からの魔道師だ。その分、本当は、人一倍熱心に魔道修業にあたらなくては、魔力が落ちてゆくのは当然のことだ。それは、最終的には魔道師として大成したい、とやはり願っているヴァレリウスには非常な苦痛でもあったし、また、それ以上に、そんな先の話はともかく、（もし、いまいくさになったら……）という危惧は、ヴァレリウスのなかにはつねに存在しているのだった。

（もしいま、ゴーラでもケイロニアでも……どこでもいいが、ほんの一、二大隊の騎士団を率いて攻め込んでこられたら――俺には、とうてい、パロの聖騎士団を率いて迎え撃つ、などという力量はない。第一、そんな訓練はまったく受けていない……）

だが、いまのクリスタル・パレスでは、聖騎士侯の筆頭がわずか二十歳前後のアドリアンであるように、全体に、騎士も少なければ、それを率いる武将も少ない。経験のある武将はたいてい、もう引退したり、死んだり、再起不能の傷を受けて領地に引っ込んだりしてしまっている。

（あやういかな……）

イシュトヴァーンがクリスタルを訪れたとき、ひそかにおそれていたのは、武将としては鍛え抜かれ、戦争の経験もきわめて豊富なイシュトヴァーンの目に、ひと目見られれば、そのようなパロの内実など、あっという間に見破られてしまうだろう、ということであった。

　それでも、あのときの成り行きではもう、イシュトヴァーンを受け入れないわけにゆかなかったから、あくまでもリンダとの結婚問題に限る、ということにして、受け入れたのだが、パロに滞在していた一ヶ月ばかりのあいだに、イシュトヴァーンは、おそらく、いまのパロの現実、国家として機能している、というにはあまりにもいささかお粗末すぎる陣営、人材不足、そして悲惨な経済状態、などをすべて見てとってしまっただろう。そうして、たぶん、いまのパロならば、自分であったらそれこそ一千人も率いさえすればあっという間に摘み取ってしまえる、と思っているに違いない、とヴァレリウスは思っている。

（ユノに大半残して、クリスタル・パレスには百人かそこらだけを連れて入ることを同意したのだって……どうしても結婚の話をすすめたかったかもしれないが、それ以上に――いまのパロなら、それだけの人数しか連れていなくても、ゴーラ軍がひけをとることはありえないと思われたからだ――百人でも、占領出来る、と思われたのか。……どうにもならぬ話だな。恥というさえ、むなしい……そもそも国家として機能してやしないのだ。どれだけリンダさまが頑張っても、リンダさまも政治など素人――宰相と呼ばれる俺もまったくのど素人……そうして、まともな軍人もおらず――）

　いくらなんでも、百人の手兵でクリスタル・パレスを制圧しよう、とまでは考えなかったかもしれないが、少なくとも、ユノの残りの兵とあわせれば、いまのゴーラ軍なら、パロの全騎士団をそれだけで制圧するのに特に何の問題も感じないかもしれない。そう思っただけで、ヴァレリウスは、屈辱とも、恐怖とも、絶望ともつかぬものに、からだがわずかにふるえ出すのを感じる。だが、ふるえたところでどうにかなるような問題でもなかった。

確かにケイロニアの軍勢は、一個大隊を常駐させて、パロを守ろうとしてくれてはいる。だが、そのケイロニアの本国、しかも首都サイロンで異変があいつぐという情報を得て、ケイロニア駐留軍は浮き足だっているし、とりあえず大隊長は小隊を率いて急ぎサイロンに戻っていって、残されているのは副隊長以下だけだ。ケイロニアはこれまで何ひとつ、その勢力に小ゆるぎも見せぬ、中原最大の強国と信じられてきた。だが、むしろ逆に、それだけに、内部にそのような崩壊がいったん起こったら、思わぬケイロニアの弱点がすがたをあらわすかもしれぬと、諸列強はケイロニアの動静にこの上もなく注目している。もしも、ケイロニア本国を大きく揺さぶるような出来事がこの上さらにあいついで、ケイロニアの守りがあやうくなってきた場合、和平条約をかわしているとはいえ、ケイロニア軍が、どこまでパロを守ってくれるかは、決して保証の限りではない――というよりも、いま一個大隊がいるが、その程度では、もし万一、ケイロニアとパロに同時に侵攻の手がのばされたとき、当然、弱体なパロをケイロニア一個大隊では守りきることは出来ぬ。

（もしもそうなったりしたとき――どこまで、ケイロニアが、パロのために軍勢を割いてくれるか……）

これまでは、ケイロニアの王グインと、パロの女王リンダとの強烈な絆により、いざとなれば、パロはつねに中原最大の武力大国ケイロニアの援軍をあてにできる、と思っていることが出来た。だが、そのケイロニア自身にそのようにして、危機が訪れているとなっては、ケイロニアが、どこまでパロのために尽くしてくれるか、それは文書化もされておらぬし、はっきりとした口頭での約束にもなっておらぬ。

（くそ――いっそ、リンダさまが、グイン陛下の王妃にでもなっていれば、ことは簡単なんだが……）

だがグインには王妃シルヴィアがすでにいる。というより、その王妃の存在によって、グインはケイロニア王としての資格を保ち得ているからには、シルヴィアと別れることはありえない。それに、ヴァレリウスにしても、豹頭の国王が支配するパロ、というのは想像がつかなかった。ひとつには、アモンのおかげで、犬頭人身だの、鳥頭にされた化け物だのをさんざん見せつけられて、そうした魔道的な存在に、さしもの魔道師たるヴァレリウスでさえ多少いやけがさしている、ということもある。魔道師であるヴァレリウスがイヤなくらいだから、パロの一般国民の心情はさらに、魔道がらみのものごとはもう沢山だ、ということもあるだろう。現に、それもあって、「魔道師を志望する若者、おのが子を魔道師ギルドに託して魔道師として成功させようと望む家族というものが、クリスタルではことに極端に減っている。これもまた、先頃のいくさの弊害であるのだ、ということは、念頭においておいて頂きたい」と、ヴァレリウスは魔道師ギルドの幹部たちからきびしいことばを貰ったりしているのだ。

（アモンの魔道と、我々白魔道師の遵守する《正しい魔道》とは、まったく違うものなんだけれどもな——むろんまた、グラチウスらの黒魔道も、アモンの魔道とも違うし）

アモンの魔道は、きわめて謎めいた、これまでにまったく魔道界に知られていなかったような要素を多々はらんでいる。

ヴァレリウスが気になっているのは、その魔王子アモンの使う魔道と、いまサイロンを席捲しているという魔道めいた疾病のはやりかたやひろまりかたに、なんとなく共通したにおいが感じとれなくもないことだった。

（何やら、多数の黒魔道師が出現して——なかにはすでによく知られた存在もあったようだが、そやつらが、てんでにサイロンの支配権を奪い合う、というような騒ぎを演じたらしいな……）

魔道師ドルニウスがサイロン駐在の魔道師たちから得てくるサイロンの情報もこのところ、とかく途切れがちであるし、その上に、よくわからない要素がいろいろと入り込んでいるから、ヴァレリウスにも、詳しいことはわからない。サイロンへ直接出現してみたいのはやまやまだが、いまクリスタルをあけるわけにはもう決してゆかない。ヤガだって、いったい本当は真相がどのようになっているのか、おのれの目で確かめるのが、一番早いのだ。自分が出向けさえすれば、ヨナやフロリー親子の行方をつきとめるのだってわけはない、とヴァレリウスは自負している。その程度には、上級魔道師というものの力は、下っ端どもとは違う。

（だが、それも出来ない。——なんだか、手足を縛られたまま泳げと云われているようだ……）

せめて、グインとのあいだに連絡を密にして、万一ゴーラ軍の奇襲などがあった場合には、ケイロニアの援軍をあてにしてよいのだろうな、と確認しておきたい。それだけは、あとで、密書にして下級魔道師に託して送っておこうと、ヴァレリウスは思った。

（なんだか、イヤな予感がする。——まるで、あの黒竜戦役の前後のときのようだ）

ヴァレリウスは、がちがちに凝ってしまった首のうしろを、おのれの手でもみながら、ゆっくりとバルコニーに出た。

まだ、クリスタルの町はほの明るい。まもなく夜を迎えようという、夕景の安らぎのなかにあって、ここで見ている限りでは、クリスタル・パレスもようやく復興が開始され、壊れたものもいろいろと取り片付けられて、ことにイシュトヴァーンの来訪があってからはずいぶんとものごとがよいほうに向かっている——というように見える。

ヴァレリウスの立っているバルコニーはかなり高いところにあったので、はるかに、クリスタルの町なみも見えたし、きらきらと輝くランズベール川も見えた。手前の庭園には、ここぞとばかりに平和を楽しむかのごとく、花々が咲き乱れている。一見すれば、どこからどこまで平和な光景であり、パロはようやくこの平和な夕景を取り戻したのだ、というように見える。少しづつ、がたがたになった経済状態も、立ち直ってきつつあるし、ことしの収穫もほどもなく税金となって入ってきて、ようやく底をついた国庫をわずかばかりうるおしてくれよう。それまでは、ケイロニアの援助や、ヴァレリウスにとっては口惜しいながらイシュトヴァーン王の援助はパロにはこの上もなく貴重なものであった。それのおかげで、いまこの平和な夕景を人々は楽しんでいられるのだ、といってもよい。

（だのに、何だろう——この、不安な予感のようなものは……）

イシュトヴァーンが、考えをかえて、いきなり、千人のゴーラ軍精鋭をクリスタル・パレスに集結させて襲いかかってくる、というような可能性はあるだろうか。

おそらく、いくらなんでもそれはない、とヴァレリウスは思う。イシュトヴァーンはこれまでのところいたって平和的に、社交的に、愛想よくふるまっていたし、最終的にはリンダとの結婚問題が認められなかったとしても、とにかくヤガへいってフロリー親子を探し、自分でも思いがけなかった二番目の息子――実際にはそちらのほうが年上だが――をおのれの手に取り戻すことで、十分にこの遠征の意義はあった、と思っているように見える。

（だのに……）

魔道師としては予感、予兆についての特別訓練も積んでいる。それが動き出すなら、もっとヴァレリウスも動揺せずにすむ。

そういう、職業的なものではなく、ただ漠然と、おぼろげな不快感、不安のようなものが胸にたえずわだかまっているから、困るのだ。なんとなく、（何かが間違っているかもしれない……）というような感じ。

（くそ。間違っているとしたら、そもそもこの俺が、パロ宰相なんていうことをやっている、ということそのものがもっとも間違っているんだ）

ヴァレリウスは思った。首すじをもみながらバルコニーから、室内へと戻ってゆく。まったく孤立無援で、ひどい責任を強引に背負わされている、という感じがする。こんなに疲れた気分になったことは、これまで一回もなかったような気持さえした。

（まあいい――明日になれば、イシュトヴァーンはどちらにせよ、行ってしまうんだ。そうしたら――たとえ頼りなくとも、ディーンさまも呼び戻せるし、アドリアン侯だってまた戻ってきてもらえる。そうなれば、こんな孤立無援な感じもしなくなるだろう）

ヴァレリウスは思った。だが、わけもない得体のしれぬ不安感と強烈な疲労感とは、いっこうに彼を去ろうとはしなかったのだった。

3

イシュトヴァーンが、ごくわずかな手兵を率いて、クリスタル・パレスを出立したのはその翌朝のことであった。

ヴァレリウスにしてみれば、あれほどにフロリー親子に会わせろ、というのに執着していたのだから、本当にごくわずかな情報から、フロリーたちがヤガにいると確信してヤガに発ってゆくかどうか、まことに半信半疑のところであったが、イシュトヴァーンはけろりとして、「俺にはわかる。俺には霊感があるんだ。第一なにしろ俺の息子のことだからな。たぶんそのガキはヤガにいる。一刻も早く取り戻してやらねえと、やつもミロク教徒なんていうへんちくなもんにされちまうかもしれねえからな」と云い放っただけだった。

リンダはいたっておとなしくイシュトヴァーンの送別の宴を張り、そのもてなし役をつとめ、ゴーラ王をしばしのあいだでもクリスタル・パレスにこうして迎えることが出来たのはパロにとり、この上ない栄光であったこと、そしてこれからも、パロとゴーラ両国はかたい信頼と親愛の絆を築いてゆくことになるであろうということ、ゴーラ王よりの多大なる支援によって、現在の消耗しているパロがおおいに助けられたことへの感謝、などをなかなかみごとに演説をやってのけたが、内心では、決してそれほどに単純でもなかった。何をいうにもリンダはまことに女らしい、過剰なまでに女らしい性格であったし、それにイシュトヴァーンとはいろいろと過去のいきさつもある。むろん、そこでイシュトヴァーンにずっと居座られて、あくまでも結婚、せめて婚約を、などと強引に迫られるのは、困るのはとても困ることであるが、一方では、まだうら若い未亡人の身として、そうして言い寄ってくれる男が必ずしもひたすら迷惑で憎たらしいわけでもない。

ましてイシュトヴァーンに対してはもともとの複雑な愛憎がある。一応あくまでも、アル・ディーンとすでに婚約してしまっているから、ということで押し通して、イシュトヴァーンが、ならばアル・ディーンに会わせろ、というのをも、何回もはねつけてはいたが、その一方では、イシュトヴァーンがかくもあっさりとひいてしまい、クリスタルを出てフロリー親子を求める遠征にさらに出ていってしまう、となると、どうしても、錯綜した感情を感じないわけにはゆかなかった。ひとつには、子供だけならばともかく「フロリー親子」を取り戻すのだ、とイシュトヴァーンが明言したせいもある。

（ということは、もしもフロリー親子がヤガで首尾よく見つかって……ゴーラの宮廷に引き取られたとしたら……フロリーさんが、イシュトヴァーン夫人になる、ということなのかしら——当然、そういうことよね……だって、彼女はいま、唯一の、イシュトヴァーンの血をひく子供、しかも男の子の母親なのだから……）

確かフロリーはモンゴールの下級貴族の娘、ときいたことがあるような気がする。だから、通常ならば、ゴーラのように——これはあくまでもイシュトヴァーンが作り上げたものではなく、ユラニアも含めての、「昔からの」ゴーラ、と考えての話だが——古い歴史ある王国の王妃になるには身分がもうひとつ不足である。

ということになれば、通常ならば、側女、妾妃《しょうひ》、というような立場で、後宮に立派な室をもらい、まがりなりにも殿の王子の母親であるから、それなりにデビの名をもらって丁寧に扱われ、なになに夫人、というような名目上の貴族の地位を与えられて「王子の生母」として安楽に暮らす、というのがなりゆきだろう。もっともすでにゴーラには、ドリアン、という、正妃たるアムネリスが産み落としたあとつぎの王子がいる。年齢的にはドリアンのほうが下のようだが、モンゴール大公であったアムネリスと、その侍女にすぎぬフロリーとでは、比較にはならないから、たとえ一歳や二歳年下でも、当然ドリアンがゴーラの王太子となるだろう。

こういう場合がよく、お家騒動のタネになりやすい——まして、あとから発見されたそのフロリーの息子のほうが、しっかりしていたり、人望を集めたり、文武にたけていたりした場合には、それこそパロにこれまでいくらもあったような、兄弟のそれぞれをおしたてての争いが勃発しやすいものなのだが、いまのゴーラには、カメロン宰相、という名伯楽もいる。ゴーラに内紛がおこるようなことには、カメロンがさせはしないだろう、と思う。

（でも、アムネリスは……死んでしまっているわけだし……そこはそれ、好きだからこそ……だ、抱いて……自分の子供を産ませたのだろうから……）

フロリーから、イシュトヴァーンとのごく短いいきさつについては、多少きかされてはいる。

それが、決して熱烈な恋などではなくて、苦しんでいたイシュトヴァーンと、それをもとから慰めたく思っていたフロリーのほんのちょっとしたあやまちだったのだ、ということは、慎み深いフロリーは、リンダの心情をはばかって、懸命に何回も説明してくれたものだ。

それに、リンダにとっては、イシュトヴァーンとの初恋などは、遠い昔のレントの海、草原の蜃気楼のまぼろしにすぎぬ。というより、そう思っていなくてはどうにもならない。それゆえ、リンダはフロリーに対しては、ちっとも悪感情をもっておらず、むしろ、個人的にとても好きな女性だと思っていたのだが、それが、イシュトヴァーンの側女となって、日夜イシュトヴァーンのかたわらにいる、ということを想像してみると、やはり、きわめて女らしいリンダ女王としては、どうしても多少面白くない感情がわきおこってくるのを、どうすることも出来なかった。

(だったら私がイシュトヴァーンの妻になりたがっているとでもいうの？　とんでもない——あれはもうすべて終わったことで、私はもう、ナリスの未亡人で、パロのためにだけ生きている女王で……話の都合上は、アル・ディーン殿下と婚約している女なのよ……)

いまさらイシュトヴァーンとよりを戻したりしたくない、と彼女自身もヴァレリウスの前ではっきり言い切ったのだし、その考えにかわりはない、と思ってもいる。

だが、それでも女心とは微妙なもので、それが「誰かのものになってしまおうとしている」と思うと、どうにも心が揺れるのだ。

(まあ、いいわ——もう、これでイシュトヴァーンはいってしまうのだ。そのあと、ゴーラがどうなろうと……フロリーさんとイシュトヴァーンがどうなろうと……それはもう、あのひとたちのこと、私の知ったことじゃあないんだから……)

自分が、ちょっとでも、イシュトヴァーンに未練がある、などということを、決してリンダは誰にも感じ取らせたくなかった。

ましてヴァレリウス宰相などはともかくとして、何かと口さがない、口やかましいパロ宮廷である。本当はリンダ女王はイシュトヴァーン陛下に「気があったのだ」などとひそひそ話にささやかれては、たまったものではない。そういううわさをも阻止したかったからこそ、リンダとしてはとてもしたくない気持に耐えて、アル・ディーンと婚約している、という話を、イシュトヴァーンに伝えたのだ。

イシュトヴァーンには箝口令をしいたわけではないから、当然、その話は、いつのまにかもれなくクリスタル・パレスじゅうにひろまっている。イシュトヴァーンがいなくなってから、最初にしなくてはならぬことは、その、アル・ディーンとリンダの婚約のうわさの一掃だろう。そう思うと、リンダは、生きてゆくことの面倒くささに溜息の出る思いだった。

(でもしかも、あまりはっきりと強烈に否定したら、またイシュトヴァーンにせよ、タリク大公にせよ……あらためて『それが本当でないんだったら』って戻ってくるかもしれないわ……)

このあたり、リンダの胸中にはまことに複雑なものがある。

まだたった二十二歳のあまりにもうら若い未亡人としては、とにかくこれからの長い人生、たとえどれほど亡夫を愛していようとも、まるっきり男っけもなく、言い寄られることも、恋愛遊戯のようなものもなく、黒衣のみをまとって、身持ちのかたいのを褒められながら生きてゆくには人生は長すぎる。リンダには想像もつかないが、女性としての人生をすべてあきらめ、もうパロの国母としてのみ生きてゆく、という気持に完全になれるのには、五十歳になればいいのか、六十歳か、それとも七十歳か——いずれにもせよそれは、三十年、四十年、五十年もの年月ののちだ。

（それまでのあいだ……何ひとつ、恋をすることも、抱きしめられることも、愛しているよとささやかれることもなく、生きていくなんて……そうしたらきっと、私本当にひからびてしまうわ……）

げっそりと痩せ細って化粧っけひとつもなく、かざりけのない黒衣をまとい、ミロク教徒というよりもゼアの寺院の尼僧のようなすがたかたちになって、その淑徳を口々にたたえられながらも、老婆になったとき、「私の人生はなんて寂しかったのだろう……」と思う自分のすがたが、まざまざとリンダには想像出来る。

（いやだ、そんなの……そんなふうに、生きながらくちはててゆくには、私の血は熱すぎるし——私は……やっぱり、まだきれいだし——みんな欲しがってくれる。だから、イシュトヴァーンだって、タリク大公だって言い寄ってきてくれるんだし……アドリアンだって、思いをよせていてくれるんだわ……）

それを相手にするつもりはまったくなくとも、そういう色恋沙汰がまったくなくなってしまうのは寂しすぎる、というのが、いまのリンダのもっとも正直ないつわらざる心境だ。もともと、決して、そんなにお堅いほう、というわけではない。そうやって、これから五十年もの長い人生を、まったく浮いた話も幸せな思いも色恋沙汰もなしに生きてゆくのだ、とあらためて思ったとき、リンダは、あらためて、（とうてい、そんなことは出来ないわ……）と確認したのだった。そういうことの出来る女もいるのかもしれぬ――早い話がフロリーなどは、ただひとたび、イシュトヴァーンに抱かれて妊娠し、子供を産み落とした、というだけで、それで一生、その子供を大切に守り、イシュトヴァーンとの一夜だけの思い出を守って生きてゆこうとしている。

（うわあ――私には想像もつかないわ。それとも、やっぱり、イシュトヴァーンは、そういう女性だから、フロリーがよかったのかしら……ううん、でもあれは恋じゃなかったと……イシュトヴァーンも、フロリーも口をそろえて云うし――わからないけれど、男女のあいだの本当の気持なんて。ましてイシュトヴァーンは私をもらいにこようとしてきたわけなんだもの。そんな、私がかちんとくるようなことを云うわけはないんだから……）

もうひとつ――

リンダを、著しく意気消沈させた出来事があった。

それは、はからずもイシュトヴァーンが、それがそんなに巨大な衝撃をリンダに与えると知ってか知らずかもたらした、つまらぬうわさ話であったのだが。

イシュトヴァーンは、リンダが開催した歓送の宴にも大人しく正装で出てきて、パロの宮廷のもてなしの素晴らしさに、相当たどたどしくはあったが一応かなり馴れてきた敬語であつく礼をのべ、リンダの演説に応じてこれからもゴーラとパロのあいだには友《ゆう》誼《ぎ》の絆が（イシュトヴァーンは間違ってこれを『ゆうせんのきずな』と云ったが、誰も指摘する勇気、あるいは非礼なものはもちろんいなかった）築かれてゆくであろう、とちゃんとゴーラ国王であり、国賓らしい挨拶をしたのであった。

イシュトヴァーンはこのところのクリスタル滞在のあいだに、すっかりクリスタルの貴婦人たちの人気者になっていたし、クリスタルの社交界もイシュトヴァーンのおかげでいきなり華やかさとにぎやかさを取り戻していたから、そのイシュトヴァーン王があわただしくヤガへ発ってゆく、というのは、貴婦人たちがきわめて嘆いてやまぬところであった。いったん正式の挨拶のやりとりが終わって、食事がはじまると、イシュトヴァーンのところにつめかけてきて名残を惜しもうという貴婦人、貴族たちはあとをたたず、ことにさやさやと最新流行のドレスのきぬずれの音をさせながら、ここぞとばかり満艦飾に着飾った貴婦人たちのすがたで、さしも長身のイシュトヴァーンも埋もれてしまってまったく見えなくなってしまうくらいだった。

リンダはひそかに、決して面白くはない気持をおさえながら、卓に供されるローストした鳥の白身かなんかをつついたりしていたが、まるきり味などわからなかった。イシュトヴァーンが、この宮廷滞在のあいだじゅうずっときわめて品行方正にしていたというわけでもなく、といって大暴れしたというわけではもちろん、目的が目的だからなかったのだが、それでもなにがし伯爵夫人とのあいだにちょっと思わせぶりなやりとりがあったとか、まだお若いなにがし子爵未亡人と、二人きりで何ザンもサロンの奥の間で歓談していたとか、そういううわさがなかったわけではなく——といって、イシュトヴァーンの名誉のためにいっておくならば、本当にイシュトヴァーンは決してリンダに結婚を申し込むのに差し障ったり、リンダが怒るようなことをするつもりはなかったので、それはあくまでもそういうほんのりとしたうわさにすぎなくて、本当に誰か浮気な美しい貴婦人と一夜をあかした、などということは、まったくなかったのであったが——それでもなにせ若く精悍で、そして凜々しいゴーラ王であるから、むしろイシュトヴァーンがどうこうというよりも、パロの貴婦人たちのほうがこぞってイシュトヴァーンに血道をあげ、あわよくばちょっとでも振り向いてもらおうとし、そばに近寄ろうとし——このしばらく、パロ宮廷はそれこそゴーラ王を中心にまわっていたようなものだったのである。

そのうわさは、女官たちを通じておおいにリンダ女王の耳にも入っていたが、しかし、女王としては、体面にかけて、眉一筋そのために動かすわけにはゆかなかった。それに、最初の歓迎の宴のときに、イシュトヴァーンとリンダが連れ立って姿を消してしまい、二ザンばかりのあいだ、二人だけで庭園の奥でこそこそと話していた、というのは、二人がかつていろいろいきさつがあった、ということもいつしか貴婦人たちには知られてしまっていただけに、たいそうなうわさとなり、リンダとしては、もう二度と、貞淑で淑徳の象徴のようなパロ女王としての体面を汚しかねない危険をおかすわけにはゆかなかったのだ。むろん、ゴーラ王の王妃となることを受け入れるつもりがあったのだったら、話はまったく別であっただろうが。

だが、それは論外であったのだから、リンダとしてはあくまでもまったく「蚊帳の外」におかれているしかなく、この立場は非常にリンダをひそかに苛立たせるものであった。なかには、たとえ一夜だけでも本当に、凜々しく若く美しいゴーラ王の逞しい腕に抱かれて夜を明かした思い出をもちたい、と激しく迫ってくる熱情的な美女もいたし、「いっそゴーラに連れていって下さいませ」と某令嬢が迫った、などという話も、おりにふれてきこえてきていたからである。そもそもそういう、宮廷全体がなんとなくバラ色に浮き足立っているような様子そのものが、かつて、まだアルド・ナリスの求婚時代の心ときめく青春をリンダに思い出させずにはおかず、そして、そのときには自分がまさにその浮き立つさわぎの主役そのものであったのに、いまはそこからじゃけんに押しのけられて、「お前は関係ないのだ」と美しい令嬢や若い未亡人や色っぽい貴婦人たちに冷笑されている、という気持が、どうしてもリンダとしては抜けないのであった。

（だからといって――たとえイシュトヴァーンが誰と恋愛ザタを起こそうと、私には関係ないことじゃないの……そうよ、もう、イシュトヴァーンと私のあいだには、いかなる火花も燃えあがる余地はないんだわ……）

こういう考えばかりは、たとえどれほど忠実なスニとはいえ、迂闊に口にするわけにはゆかない。

むろん、スニは誰にも云ったりするわけではないのだが、それはリンダのほうが恥ずかしい。たとえスニにでも、心の奥の奥底をのぞかれる、というのは、まだまだうら若い女性にすぎぬリンダにとっては、もっとも恥ずかしいことに思われるのだ。

それだけに、イシュトヴァーンの残したひとことの衝撃は、おもてに出せない分、いっそう大きかった。

「ろくろく思うようなおもてなしもできませんで……」

さしも沢山の貴婦人たちもようやくみなはけていって、歓送の宴が終わりかけたころあいであった。

やっと、イシュトヴァーンのほうからリンダに近づいてきて、あらためて個人的に、うけた手厚い歓待のお礼を述べにきたので、リンダは思いきり優雅に立ち上がって頭をさげてみせた。

「でも久々にお目にかかれて、沢山昔のお話もできて、楽しゅうございましたわ、ゴーラ王陛下。また、このたびのようなご用件ではなくとも、ぜひ、パロにお遊びにおこしになって、昔話に花を咲かせてくださいましね。それに、たいそう——クリスタル・パレスの貴婦人たちは、ゴーラ王陛下のおこしによって活気づきましたし、たいそう喜んでおりましたし……」

その、リンダの物言いに、何かちくりと、底に隠されたトゲのようなものを感じたのかも知れぬ。

イシュトヴァーンの黒い精悍な眉がちょっとかるく寄せられた。イシュトヴァーンは、片手をのばして、わきに立って盆をもってひかえていた小姓の、捧げ持っている銀盆の上から、はちみつ酒のカラム水割りをつかみとった。

「さいごに、女王陛下のお美しさに乾杯いたしましょう。いつまでも、おかわりなくパロの太陽でいて下さるように」

この言い方は、間違っても日頃イシュトヴァーンがしそうなものではなかったので、どうやら、何か「大礼図鑑」だの「宴会作法」だのといった本でこそこそと仕込んだに違いないとリンダはにらんだ。が、おもてむきは微笑みながら自分も好きな赤ぶどう酒のグラスをとりあげた。

「まあ、有難うございます。そしてゴーラにも、末永い繁栄と平和とがずっと続きますように」

「ケイロニアは、えらい騒ぎだけどな」

ただちに「大礼図鑑」のボロを出して、イシュトヴァーンはいつもの口調にもどってつけつけと云った。

「あれほど、安泰だと思われたケイロニアでも、ああなるんだからな。ましていまのゴーラなんか、いつどうなるかわからねえ、風前の——風前の灯火みたいなもんだと俺はいつも思ってるよ。そう思ってないと、安心できねえからな」

「まあ、そんなことはありませんでしょう。陛下のような勇者がおいでになるのだから、ゴーラに攻め込もうなんていう無謀な者はこの世にいるわけもないし」

「まあ、それはあまり可能性はねえだろうけどな」

イシュトヴァーンは認めた。だが、イシュトヴァーンにしてみると、どうしても、今日で最後、ということと、このところずっとリンダとはこういう公式行事の席でしか会っていなくて、そのリンダがとてもよそよそしく思われていたのに違いない。それが仕方ないのだ、ということは理解はしていても、イシュトヴァーンのような人間にとっては、そういう口調でものを言い合うことそのもの、というのが、面倒だったり、堅苦しかったり、遠かったりしてつまらぬことに思われるのである。

「けどまあ、サイロンの病気騒ぎもなんとか無事に収束したようで、そいつはよかったけどな。おらあとんでもねえ話をきいたぜ」

「とんでもない——お話?」

リンダは眉をひそめた。

「サイロンのですの？　それともケイロニアの？」

「グインのさ。やつだって、俺たちどっちにとっても、古い馴染みだろう」

リンダをぎくりとさせたことに、やや満足したようすで、イシュトヴァーンは云った。が、次にイシュトヴァーンの口にしたことばは、リンダだけではなくて、ちょうどかたわらにひかえていたヴァレリウスをもぎくっとさせずにはおかなかった。

「まあ、なあ、やつもあの冷たい、我儘な王妃に、ずっとおとなしくかしづいてるってわけにゃあ、ゆかなかったんだろう。やつも、一人前の男だった、ってわけだな。そのことに俺はむしろびっくりしたけどな。――きゃつはただの豹頭で、男じゃねえんじゃねえか、って疑いかけてたところだったからな」

「イシュトヴァーン、それ、いったい、どういうこと？」

思わず、リンダは、典雅な宴会の物言いを忘れてしまった。が、あわてて言い直した。

「どういうことをおっしゃろうとされているんですの？　ケイロニアのグイン陛下に何か……何か異変がおありだったとでも？」

「今度の騒ぎで、サイロンから、べっぴんの踊り子を見初めて連れてきたらしいじゃねえか。もっぱらのうわさだっていうぜ」

「………」

リンダは、我知らず蒼白になった。

「嘘」

「嘘じゃねえぜ。このところサイロンからの情報は途絶えてたが、ようやくまた戻りはじめたんだ。なんでもグイン陛下は、結婚以来はじめて、側女をもつことに同意し、その側女にけっこう夢中なんだというぜ。だがそれもやむを得ねえ——シルヴィア王妃はからだを悪くして、闇が丘の離宮へうつされちまったし、グインだってまだまだ元気いっぱいの男なんだ。そうなりゃ、ずっとひとり身でいるわけにゃゆかねえってんだろう。——一番新しい情報で、俺がきいた話じゃ、どうやら、その側女になった踊り子は、すぐに子どもが出来たらしいぜ。おかげで、サイロンは、いっときは流行り病いのおかげで落ち込んで大騒ぎだったが、今度は、今度こそケイロニア皇帝家の正式のあとつぎが出来るのじゃないかというので大騒ぎらしいぜ。もっとも俺に云わせりゃ、女は側女でグインはケイロニア皇帝の血筋じゃねえんだから、どっちも関係ないっちゃないじゃねえかと思うんだが、アキレウス大帝は、シルヴィア王妃よりも、グインのほうが我が子と思っている、と側近にもう誰はばからず云ってるらしいからな。万一にもこれでグインの側女が男の子を生んだとしたら、まあこれでケイロニアも、長年の悩みを解消して、本当に安泰になろうってものだぜ。そうじゃねえか？」

4

（何だと……）

この話が、衝撃も衝撃、大衝撃であったのは、なにもリンダひとりではなかった。

ヴァレリウスもまた、ひっくりかえるような衝撃を受けたのだが、ひとつにはそれは、その情報の内容よりも、それがよりによってイシュトヴァーンによってもたらされた、ということ――つまりは、自分がサイロンに張っていた魔道師の情報網がいまや、まったく役にたたないようにされていて、自分はいまでは、ゴーラの情報網にも劣る情報網しかもっていないのだ、ということが大きかった。なんといっても魔道師であるだけが自信の根拠であるヴァレリウスにとっては、魔道師が国を差配すればこうなるのだ、というところを見せてやりたい、という思いがその根底にはつねにひそんでいたからだ。

（俺の情報網はいまや、新興の野蛮な国家と馬鹿にしていた、ゴーラにさえおとるのか……）

確かに、このところ、ずっと、サイロンからの情報のやってきかたがおかしい、と思っていなかったわけではない。

全世界の要所要所に手際よく送り込んでめぐらしてあるはずの魔道師の情報網——それが、このしばらくサイロンには、外来者が入ることも出ることも一切禁止された、という事情もあって、サイロン在駐の魔道師からもちゃんとした定時連絡さえも届いていなかった。

（くそ——なんということだ、畜生……魔道師たるこの俺が、情報収集で、ゴーラごときに遅れをとった……）

その動揺はなんとかして、イシュトヴァーンが素知らぬていでクリスタル・パレスを出立していってしまうまで、隠しおおせたつもりだが、一方では、どうしても納得のゆかぬこともあった。

（いくら、俺の部下の魔道師どもが、無能だったとしても——下っ端だの、見習いだのかけだしばかりだったとしても、それを統率する連中には一応上のほうのものもおいている。——それに確かに、サイロンのこのところの動静には、ずっと気になるものを感じていた。……そもそも例の黒死の病のひろがりかたが、サイロン以外には一切ゆかなかった、ということもそうだし、情報が遮断されたあんばいも、なんだか、素人——というか魔道がらみでない普通の国がするにはあまりにも徹底していて、様子がおかしい。——この、サイロンの情報封鎖には、何かがある……いまのこの、グイン王が側女を得て、それが妊娠したらしい、という情報を、イシュトヴァーンがどこから、どのようにして得たのかはわからないが、ずっと俺と同じようにこの期間クリスタルにいただけのイシュトヴァーンが、そのようなことを知っている、というのも……いくらなんでも、ただの武人にすぎないイシュトヴァーンの作った情報収集網のほうが、魔道師の俺のそれよりもすぐれている、というようなことはありえない……）

（となると——結論は、どういうことになる。……つまりは、こうだ。サイロンの情報封鎖には、ただそれだけではないものがある。——あえていうなら、何か、《魔道の手》がはたらいている、ということだ……）

そう考えなくては、ヴァレリウスのプライドがおさまらなかった、ということもあったかもしれぬ。

だが、それだけだとはヴァレリウスにはどうしても思えなかった。

（そもそも、サイロンに何人もの異形の魔道師があらわれて、相戦った、というようなうわさも聞こえてこなくはなかったのだ。——いったい、どこの、どのような連中が出現しているのかはわからないが、少なくともすべての黒魔道師、白魔道師にとっても、グイン王という存在はつねに非常に魅力的な、魔道師たるものすべてをひきつけてやまぬ超人的な存在だ。——そのありようも、その膨大な、通常ではありえないようなエネルギーの量も——そしてグイン王という存在、そのものが秘めている謎も——何もかもが、それこそノスフェラスやパロの古代機械と同様に、この世の巨大な謎を構成していると云える。——それにひきつけられて魔道師どもが、しょっちゅうグイン王の周辺にあらわれるのは、かのグラチウスを見ても、わかるとおりだ。——グラチウスがどれほど、グイン王を手にいれたがっていることか！）

（そうか、待てよ……星辰の位置をただして見よう。先日——パロにはどちらにせよ、あまり縁のないことではあったが、北方には、何百年に一度、という巨大な星辰の《会》があったな……もしも、あれが、このサイロンの異変と関係しているとしたら……）

（そしてまあ、締め上げたところで本当のことはなかなか白状すまいし、もしかしたらまた無意識のうちに操られているのかもしれぬから、当人を追及しても無意味だろうが、もし、イシュトヴァーンが——なんらかの魔道師の作為によって、動かされたり、俺の持たぬ情報をもたらされたり、あるいはさっきの情報をリンダ女王の前で云うように仕組まれていたりしたとしたら——いくたびかはグラチウスにもヤンダル・ゾッグにも、ものの見事に操られて傀儡として行動したこともあるイシュトヴァーンだ。依然として、なんらかの魔道師の傀儡である種子を持ったままになっていないとは云えぬ……）

（とにかく《会》について調べてみよう。——それにグラチウスはこのしばらく妙におとなしくしている。パロにもちょっかいを出してこない……サイロンでのその異変に、

〈闇の司祭〉があらわれた、というようなことはないのだろうか？　もしなかったとしたら、かえって、それはある種の異常を物語るかもしれぬ……サイロン、黒死の病、グイン王、巨大な《会》──などといったら、それこそ、まっすぐに〈闇の司祭〉の陰謀がからんでいると思うのが当然だと思うのだが……）

ヴァレリウスは、忙しくなった。

そのような話であれば、いささか疎遠というより、微妙な対立が起きかけている魔道師ギルドもあてに出来る。ギルドに頼んで、先日の《会》についていろいろと調べてもらいがてら、あらためて、はねかえされるし、それに伝染のおそれがあるので諦めていた魔道師を数人、サイロンに送って、疾病流行前後のサイロンの事情を調査させることにヴァレリウスは決めた。もしかしたら、ああしてサイロンに魔道師が入れないようにされていたことそのものが、なんらか、どこからかの魔道勢力が働いていたのではないか、という考えがひらめいたのだ。

（そのことに、もっと早く気が付いているべきだった──最初から、ケイロニアという国家はまじない小路こそあるけれども、もともとあまり魔道に重きをおいておらぬ──ましてや、国政に魔道師が関与することも、魔道師を諜報戦に使うこともほとんどせぬ国だ、という思い込みが強すぎて──ケイロニアと魔道、という結びつきについてはほとんど考えていなかった）

(だが、ケイロニア政府が魔道を利用することはありえぬにせよ、ケイロニアを攻撃する魔道師たちが、ましてグイン王がいるいま、ケイロニアをかっこうの標的とする、ということは十分考えられることだ。——俺としたことが、とんだ手ぬかりだ。最初から、このケイロニアの、サイロンの疾病と異変については『魔道師がらみ』で考えてみたら、まったく違う展開が見えてきたかもしれぬ……)

やはり、もっと気軽に、身軽に立ち回れる状態に自分がいなくては駄目だ、とヴァレリウスはあらためて思っていた。本当は、サイロンの異変の話をきいたそのときから、ずっと、自分でサイロンにとび、自分のその目で確かめたくてしかたがなかったのだ。そういう意味ではヴァレリウスは、たとえ魔道師仲間といえどもなかなか人を信用して預けるということが出来ない。たとえサイロンに入れなかったとしても、それはそれで、そのはねつけられ方も、自分にならば、どのような魔道によるもので、どのあたりの魔道師たちがからんでいるか、読みとれるはずだ、と信じている。

(今回の一連が、一段落したら……やはりもう、どうあっても宰相の職は辞することにしよう)

ヴァレリウスはあれこれと手配しながら、かたく心にあらためて決意していた。

(このさい、何回も固辞されてはいるけれども、マール公に、もう一度出馬をお願いして——あらためて宰相を引き受けるのがどうしてもこの年齢ではおいやだ、ということなら、宰相代理でもよい。——そして、そのあいだに、少し頼りない若手でもなんでもいいから、なんとかして選抜して、宰相になれるものを——ううむ。そうだな……戦いでは国王派だったとはいえ、ネルバ侯か、それともいっそ文官のなかから選ぶか——そうして、とにかく俺自身が身軽に動けるようになることだ。俺はそれこそヨナのあとをとって参謀長とでもなんとでも、自由に動ける位置を確保出来さえすればそれがいちばんパロのためにもいい。——どうもこの話、全体がやたらキナくさいではないか、という気がしてきた……ヤガの変貌も含めてだ。ヤガの変貌、サイロンの突然の異変、イシュトヴァーン王の強引な来訪、ついでにいうならば、グラチウスがこのところなりをひそめていること……)

(これまで、それはそれぞれ別の事柄としか考えていなかったが——まあむろん本当にただの偶然であったものもあるんだろうが、もしそうでなく、いくつかであれ、かげに結びついているものがあったら大変なことだ。——それについては、もっともっとよく考えてみなくてはならぬ。もっとずっと早くにそうしているべきだったのだ。——いや、だが……)

少なくとも、そこになんらかの巨大な魔道師の陰謀があったとして——当然、ヴァレリウスに考えられるのはそのばあい、黒幕はキタイ王ヤンダル・ゾッグか、あるいは〈闇の司祭〉グラチウスのいずれかであるが——かれらの本当の標的がパロである、とは考えられない。

かれらはどちらも、いったんパロを標的とし、そしてヤンダル・ゾッグは成功しかかった。怪王子アモン、という奇怪な存在を使って、何千年の歴史をもつパロ王国を、あわや完全に征服し、転覆させることに成功しかけたのだ。だがそれはかろうじて回避された。それがパロそのものの力ではなく――アルド・ナリスの懸命の努力はあったにせよ――つまるところはグインの力であったことは、ヴァレリウスはよくわかっている。

（だが、その後のようすを見るに――いまのパロはもう、いまさらかれらが手を出してくるにはそれほど魅力のある獲物だとも思われぬ、残念ながらな……ゴーラは……ゴーラは怪しい。あれは、どちらかというと、それら黒魔道師どもの息がすでにひそかにかかっていたり、見えぬところでそれらの手がのびていたりするという感じがだんだん強くなってきた。何よりもあれだけイシュトヴァーン王が国もとをあけて、あちこち遠征に出歩いているのにもかかわらず、ゴーラにちょっかいを出そうというものはいまのところいない。――それはむろんゴーラの武力をおそれてもいるのだろうが、それ以前に、何か、そういう考えをおこさせぬバリヤーでも、あるのかもしれない。そういう可能性もある――クムは……クムはまあわからぬとして……だが、そうなると、いま、巨大な黒魔道勢力がまっこうから標的としたいと思うのは……）

（ケ、イ、ロ、ニ、アだ）

ヴァレリウスは慄然とするものを覚えた。

これまで、その武力と経済力と統率力を誇り、決して中原の他の諸国のようにはつけこむ余地があるまいと思われていたケイロニア。

（アキレウス大帝が去り、あらたにグイン王がその支配者に就任したことで……ケイロニアもまた、それら黒魔道のおそるべき標的となることから、まぬかれ得なくなったのだろうか……）

だとしたら——さきごろのサイロンの騒ぎ、異変も、疾病騒ぎも、もしかしたら、すべてはもっと巨大な《何か》の前触れなのかもしれない。

（それにヤガだ……ミロク教の勢力はしだいに大きくなり、中原にひそかに網の目のように張り巡らされてきている。それを一気に——その中核部をのっとることが出来たら、それこそ、ヤガを制圧したものは、ミロク教のその巨大なひそかな網の目をすべて一気に自分のものとすることが出来る——そうすれば……）

（中原制圧、中原すべての征服だって、とうてい夢とはいえなくなる——いや、きわめて現実感が出てくる……）

（そして、まさしく——そのような野望をひそかに抱いている者こそ——キタイ王ヤンダル・ゾッグ、そして〈闇の司祭〉グラチウス……）

ヴァレリウスはぞっと身をふるわせた。

中原は、あるいはとてつもなく大変な時代にこれから入ろうとしているのではないか。そして、そのなかで、いったん手ひどくヤンダル・ゾッグとアモンとにいためつけられた、この古い王国パロを守るものは、いまや自分以外にいないのだ。リンダ女王には、そのような武力に関することはいっさい期待出来ぬし、またむろんつねに王家そのものからさえ逃げ腰のアル・ディーン王子にも期待は出来ぬ。

(なんでこんなことになってしまったのだろう。——ああ、なんで、こんな大変なことになってしまったのだろう)

(そして、なぜよりにもよって、この無力な俺が——たかが一介の魔道師にすぎぬこの俺が、そのような責任をおわされることになってしまったのだろう……俺には、中原の守護者、などという役割はあまりにも荷が重すぎる……)

ヴァレリウスは我知らず、おのれの髪の毛をおのが手でひっつかんでいた。その唇から、低いうめき声が漏れた。

(ナリスさま——ナリスさま——ナリスさま!)

(お力をお貸し下さい——いや、かなうものならば、いますぐにでも、ドールの黄泉から戻ってきて……パロの危機に対処していただきたい。私には……私には出来ません。私にはそのような力はありません。私には何の権限もないし——本来、そのような責任とても……持たされるような立場ではなかったのだし……)

黒い——真っ黒い怒濤が、ひたひたと中原に四方八方から押し寄せてくる——

そのぶきみなイメージが、ヴァレリウスをとらえた。

魔道師のもつイメージというものは、つねに、予兆や予感をともなっている。それは、魔道師にとってはまったくの《本当のすがた》なのだ。

（ああ——中原が、黒魔道師たちのつかみあう、長いカギヅメのはえたぶきみな手のあいだに飲み込まれてゆきそうだ……）

（そうして、いったいどんな——どんな新しい時代がはじまるのだろう。——黒魔道が中原を制し、ぶきみな新しい《力》が中原で最も強いものとなったとき——われわれ、普通の人間の暮らしはいったい、どのようなものになってしまうのだろう？——そう、白魔道師はあくまでも、まだ——特殊な訓練を経てもいるし、なかには羽化登仙してさらにすさまじい、特殊な存在となったアグリッパのようなものもいるけれども、基本的にはやはり普通の感覚を維持している普通の人間だ。——だが、アモンをみても、ヤンダル・ゾッグをみてもわかるように——いや、待てよ……）

ヴァレリウスは、顔を両手でつかんだまま、ぎらつく目をあげた。ふいに、何か、異様な考えがその脳裏に思い浮かんだのだった。

（違う。——グラチウス、そしてこれまでの魔道師の歴史で名前を残した、さまざまな黒魔道師たち——あるいは黒魔道から逸脱してあるべき魔道に戻った《ドールに追われる男》イェライシャなどの例をみても……それは、明らかに、ヤンダル・ゾッグやアモンとは——何かが違う。……かれらもまだ——それでもまだ、たとえ八百年生きていようとも、あれだけの超人的な魔道の力をもっていようとも……《人間》なのだ。だが、ヤンダル・ゾッグは違う。——アモンも違う。あそこには、なんともいうにいわれぬ《異質さ》があり……そして、ひとの情けやことば、短い須臾《しゅゆ》の一生を生きてゆく人間同士の共感、ひとととしての人生を送るものどうしのかかわりや愛憎——そういったものが、何ひとつ感じられなかった……アモンに制圧され、アモンの思うがままに操られていたとき、クリスタル・パレスは、まるで——そうだ、まるで、まったく異なる星の世界が突然、クリスタル・パレス全体を包んでしまいでもしたかのように——《異質》だった……人間の論理はそこでは通じず……まったく異質な論理のみが、世界を支配していた……）

（それか。カギがあるとすれば、それはここにあるのか。本当の敵は——おそるべき、中原を飲み込みつくそうとしている本当の敵は、ただ単なる黒魔道などではなく——もっとずっと異質な、異なる文明世界からひたひたとおしよせてくる侵略の波か）

（それをいうなら——グイン……）

ふいに、ヴァレリウスは、さらに慄然とするものを覚えて、目をぎらつかせながら呻いた。

（グイン――そうだ。グイン……）

豹頭人身の、どこからきたのかも知れぬふしぎな戦士。

人々はいつしかその存在に馴れ親しみ、その異形さえも、その驚くべき英雄であることのあかしとして受け入れられ、ケイロニア皇帝がそのむすめをあたえ、そのあいだに生まれる子どもを待望するほどに、いまや、グイン、という存在は《当り前》のものとなっている。

（だが、よく考えてみれば――考えてみろ、ヴァレリウス――あれが《異形》でなくてなんだ――首から上は豹頭――そして、ときたま彼が発揮する、あのおそるべき、ぶきみな――限度を知らぬ能力……）

それは、ヴァレリウスをはじめとする、《ただの人間》たちよりも、はるかに、ヤンダル・ゾッグやアモン、そのぶきみで異質な侵略者たちのほうに似通っているように思われる。

いったん考えつくと、思えば思うほどに、グインの異質さ、そしてそれをいつのまにか、すべての中原がなにごともなかったかのように受け入れていること、が異様に思われてきた。

（おそらく、キタイでも――最初は、ヤンダル・ゾッグという存在はさぞかしぶきみな、異様な侵略者としておそれられていたに違いない――あの竜騎兵たち――だが、それに馴れてしまうと、『そういう存在もあるのかもしれない』とだけで――いつしかに、それは異様な《日常》のなかにさえ溶け込んでしまうのだろうか……)

もしも、グインと、新しくグインがめとったという側女のあいだに生まれた子どもが、豹頭を持っていたとしたら。

そして、その豹頭の子どもが、ケイロニアにめでたく、全国的な祝福をもって受け入れられ、ケイロニアの世継の皇子として、皇太子にたつとしたら。

(これは、大変なことなのではないのか。――それとも、いま――俺たち、《人間》が、このような外見をし、このような生活をし、このような世界をもっていることそのものが……ただの偶然にすぎないのであり……)

(この広い世界のどこかには、グインのように豹頭をもつ人種、民族、その世界がちゃんとあり、またヤンダル・ゾッグのように竜頭の種族もちゃんとそれなりの文化と歴史とをもって日常生活をいとなんでおり――それをただ、われわれが知らずにいた、というだけの話か。――そして、いまや、それらが着々と、手つかずのこの中原――この世界、という、肥沃な宝石へ手をのばしてきた、というだけのことだろうか。これまでは、ただ単に――我々の運がよかった、というだけのことで……)

少なくとも、キタイでは、そのようにものごとは進行しているわけだ。

(とんでもないことになろうとしている……)

だとしたら——それが、もし自分の思ったとおりなのであったら、ますます、そのような大変な事態は自分にはあまりにも手のうちようがなさすぎる、とヴァレリウスは思った。

瞬間、彼は、アル・ディーンの気持ちを完璧なまでに理解した——と思った。そのせつな、確かに彼は、何もかも放り出して、この世がどうなろうと、地上がどうなろうと、パロがどうあれ、リンダの運命、パロの国民たちの運命がどうなろうとかかわりなく、もういっさいがっさい「自分には関係ない！」とそう叫んで、そのままこの世のはてのはてまでも、何ひとつ、中原がどうなったのかのうわささえ聞こえてこぬところまで、逃げてゆきたかったのだ。

（ああ——でも……）

自分が、アル・ディーンとは違うこと——決して、そうしてものごとを投げ出してしまうことは出来ぬだろう、ということをヴァレリウスは知っていた。因果なことに、自分が、同じ人間であるものたち、同じときにこの世に生きて、同じパロという国で生きている人々に対して、共感だの、同情だの、ときには複雑な愛憎だのをも持ちつつも、強い興味や共鳴を抱いてしまっている、ということもわかっていた。

自分は、逃げてゆかないだろう。決して、この世を捨てて逃亡し、おそるべき異種族の侵略のまえにパロを見捨ててどこかはるかな地の果てへいってしまうことは出来ないだろう。

(因果なやつだ——因果な……)

ヴァレリウスは、狂ったように泣きたくなった。それからまた、狂ったように笑いたくもなった。

それから、そのおのれが、どうやら一瞬、常軌を逸したたかぶりにとらえられてしまいかけているようだ、と気付いて、なんとか、自分を落ち着かせようと、懸命に魔道十二条を唱え、『魔道師心得』を復唱し、こういうときに魔道師が使う、精神統一の呪文をすべて唱えた。そうしながらも、しかし、ヴァレリウスは感じずにはいられなかった。

(白魔道は……俺が、これまですべてをかけてきたと思っていた白魔道などというものは……なんと、無力なのだろう……それはまったくただの気休めにしかすぎないほどだ……)

(グラチウスが——白魔道に見切りをつけて黒魔道にいってしまったのも、おそらくは、こうした瞬間がグラチウスにもあったのだろう……)

だが、自分はまた、黒魔道にも、身をよせようとは思わないだろう。

自分には、どこにも逃げ道はないのだ、とヴァレリウスは思った。すべての呪文を唱え終わったあとに、ふいに、ヴァレリウスの口をついて出てきたのは、ただ、(ナリスさま——ナリスさま——ナリスさま!)という、血を吐くような呻き、ただそれだけであった。

第二話　波　瀾

1

だが、ともあれイシュトヴァーンはクリスタル・パレスにともなった精鋭百人弱を率いて、無事にクリスタル・パレスを出立していった。貴婦人たちは寂しがったかもしれないが、クリスタル・パレスのケイロニア駐留軍幹部と、そしてクリスタル・パレスの政府の幹部たちのあいだには、思わずほっとした空気が流れたのは当然であった——何をいうにも、イシュトヴァーンがわずか百名とはいえ、よりぬきのゴーラの精鋭を従えてパレスの心臓部に滞在している、というのは、毒蛇を家のもっとも肝心かなめの部分にひそませているのと似たような、どうしてもぬぐいきれないぶきみさがあったからである。

リンダもとりあえずはほっとした表情をみせた。イシュトヴァーンが手兵をひきいて、ヤガにむかってクリスタル市を出てゆくまで、女王騎士団の大隊をつれて見送ったリンダは、クリスタル・パレスに戻ってくると、思わずほっとしたように、「もう、これで当分戻ってくることはないわね……じゃあ、もうディーン殿下も、アドリアン侯も呼び戻しても大丈夫ね」と洩らしたのだった。

「そのように早速手配いたしましょう」

ヴァレリウス宰相もそれについてはかなり気になっていたので、ただちに賛同する。ケイロニアの駐留軍がいるとはいえ、やはり一応、どれだけ弱体化していてもパロの守りは聖騎士侯騎士団であり、その中核がまったくクリスタルにいない、というのは異常な事態としか、云いようがなかった。

アドリアンはいったん、イシュトヴァーンを刺激せぬよう――というよりもお互いを刺激せぬようにと、カラヴィアのおのれの領地に下がっている。ただちに、ヴァレリウスは、使者を走らせ、三個大隊を連れてクリスタル入りするように伝えさせた。

「どうせここまできたのだから、マルガに寄っていって、そこでディーン殿下と合流してパレスに戻ればどうかしら」

リンダは提案したが、

「いや、お忘れですか。ディーン殿下はマルガにいると何のはずみでイシュトヴァーン王と顔をあわせてしまわぬものでもないと、マリアにうつられ、マール公のもとに滞在しておられます」

云われて、思わずうなづいた。

「ああ、そうだったわね。——私もうかつな。——でも私がマルガに参詣するのはかまわないでしょう？　ちょっとクリスタルに戻るのが一日遅くなってしまうけれども……」

「さようでございますねえ……先日、イシュトヴァーン王ともども参詣されたばかりですから……お気持はわかりますが、それにクリスタルからマルガ、というのは近いようでいてけっこう遠い距離があります。いま、ようやく政務に戻れる状態になられたわけですから、あまり、御無理をなさらぬほうが」

「そうかしら」

リンダは不平そうだったが、それ以上のごり押しはしようとはしなかった。

「マルガになるべく多くお立ち寄りになりたいお気持はこのヴァレリウスとて充分にわかりますよ。でもここは、しばらくやはり宮廷がいつもと違う状態でありましたし、いろいろと政務も山積しております。なるべく早く戻られたほうが」

「政務」

リンダは小さなため息をもらして、かたわらで同情的な顔をして膝の横にくっついているスニの小さな頭をなでた。

「帰ると政務と、そうして公務が待っている。——でもそんなふうにぐちをいえた義理ではないわね、ヴァレリウス。あなたは私よりもずっと、しなくてはならぬことが沢山あるのだから。あなたのおかげで、私はずいぶんと楽させてもらってるのだわ。といっても、私がやっても女王らしい政務など、そうそう手際よくさばけもしないでしょうけれども。ねえ、ヴァレリウス、でもあなたのおかげで私、本当に助かっているのよ。ずっとそばにいて頂戴、などと頼むのはあつかましいかもしれないけれど、それでもいまあなたにいなくなられたらパロは文字通り崩壊してしまうと思うわ。これからもよろしくお願いいね」

「はあ、まあ……それはもちろん……」

ヴァレリウスはなんとなく、リンダに、そろそろ引退して好きなことをしたいものだ、というおのれの心の奥底を見抜かれたような気がしてぎくっとしながら答えた。

「私ごときのつたない能力が少しでもお役にたちますれば……しかし、正直のところ、わたくしは政治家には向いておりませんし、少なくとも宰相に関する限りは、そろそろマール公になり代行をお願いしたほうが、かえって私も自由に動けるようになってよろしいのではないかと、思案していたところだったのでございますが。これについては、リンダ陛下のおそばにいるのを去る、というようなことではございませんで、もっとパロの政治むきが楽になるように、ということを考えてのことですので、いずれ宮廷に戻りましてから、私の構想についていろいろご相談を申し上げたいと思っておりますが」

「イシュトヴァーンもこんなに長いこと国元をあけて、おまけにこのままヤガへ向かって、そのあいだじゅう、ゴーラの政治むきのこと、統治のことはカメロン宰相にまかせっぱなしなのね」

リンダは考えこみながら云った。そうするあいだにも、帰途につく準備がととのったと小姓が知らせにきて、女王用の馬車が扉をあけて待っている。

「それだけ、イシュトヴァーンもカメロン宰相を、私があなたを信頼するように信頼しているのでしょうけれど……でも、私の知るかぎりだけでも、イシュトヴァーンはこのところずっと遠征続きで、ほとんどゴーラには、ことに首都イシュタールにはいないみたいだわ。——それも、留守を預けられたものにとってはずいぶんと荷の重い話だわねえ」

「それはもう、カメロン宰相は私などと違って超ベテランの外交官でもおありになれば、政治家としての能力もまったく違いますから、楽々とこなしてはおられるでしょうし、もしかして、王が不在のほうがやりやすいこともあるかもしれませんが、いろいろと大変だろうとは同情いたしますよ」

「それについても、私、宮廷に戻ってからちょっとあなたとお話したいわ、ヴァレリウス。というか、これからのゴーラとの関係について、ということね。もう、こうしていったんはっきりとつっぱねてしまった以上は、もう縁談を蒸し返される心配はないと思うけれど、その分、イシュトヴァーンはクムと連絡をとる機会があっても、私がナリスの弟王子と婚約しているそうだ、という情報をもたらすことは出来るようになったし、するでしょうし——クムにはまだ、正式の打診はないから、かりそめのちょっとした打診だけだから、私のほうも正式の返答はしていないけれど、正式に、イシュトヴァーンにしたのと同じように、アル・ディーン殿下と婚約したので、という返答をクム宮廷に送ってしまったら、それを実行しないわけにはゆかなくなってしまうわ。——私が一番心配しているのは、そのことなの」

「それにつきましても、私のほうでも、いろいろと考えないでもございませんでした」

ヴァレリウスは安心させるようにうなづいた。

「これも、パレスに戻ってからひとけのないところでゆっくりとご相談申し上げますが、一応、名案というほどのものではございませんが、これならなんとかなるのではないか、ということは考えついてございますよ。ご安心下さい」

「まあ。ヴァレリウス、あなたやはり頼りになる人ね！　それは、どういう名案なの。私、とてもパレスに戻るまで待てないわ。私の馬車に同乗して、帰り道に話してくれないこと。秘密を守るためにもそれがかえって一番ラクかもしれないし」

「さようですね」

ヴァレリウスはちょっと考えてからうなづいた。

「それでは、失礼してご同乗させていただきます。本当は、馬で先にパレスに戻っていろいろと準備をしていようかとも思っていたのですが」

そのようなわけで、ヴァレリウスはリンダの四頭だての馬車に、スニと、信頼できる当番の女官ともども乗り込んだ。リンダはその「名案」について早速聞きたがった。もう、イシュトヴァーンの一行はとっくに赤い街道の彼方に姿を消している。こちらよりもかなりの速さで進んでいるようだ。今日中にはもう、マルガ圏内を抜けて、パロ南部へ出るつもりなのだろう。

「大した名案とも申せませんし、そのためにはまたアル・ディーン殿下をいろいろと説得しなくてはなりませんがね」

ヴァレリウスは云った。

「いや、なんということはない、実際にとりあえずまずはアル・ディーン殿下とのご婚約をゴーラにも、クムにも、ケイロニアにも——中原諸国に一応正式に告知なさり、それからその後に、『事情あって、この婚約は、結婚の実行が延期されることになった』というような告知を続けて出される——まあもちろん、それをする時期は慎重にはからなくてはならないと思いますが、要するに、アル・ディーン殿下のお体の不具合か、あるいは何かもっと説得力のある別の原因を考えてもよろしいのですが、いますぐ結婚出来る状態ではないので、婚約したまま、しばらく時をおく、というような——最初のうちは、それこそ、まだナリスさまの喪が正式にいえば、もっともパロ宮廷の正式な式典の決まりでいえばあけておらぬから、ということも事情のひとつに加えられましょうし、ケイロニアは事情に通じておりますから、かえって、『アル・ディーン殿下とオクタヴィア姫の婚姻の結果が完全に抹消されぬうちは』というのがウラの本当の事情である、と伝えておいてもいいのではないでしょうか。それならケイロニアは納得すると思います。しかしまあケイロニアはべつだん女王陛下の縁談にはかかわりがないですから、そちらは大した問題ではありません。問題はやはりクムのタリク大公と、そしてゴーラですが、こちらは、『現在婚約中』という点だけは、継続していることにしないと、婚約そのものが破棄された、成立しなくなった、ということになれば当然また縁談を復活させてくると思います。ですから、陛下は、おいやかもしれませんが、あくまでもアル・ディーン殿下と婚約はなさっている。しかし事情があって結婚出来ない状態である、ということになさり、そのままなるべく長いこと引っ張る――そのうちに、もしうまくゆけばタリク大公がしびれをきらして、他の王国に縁談を求めるなり、あるいは国内から貴族の姫をめとるなりしてそちらはかたがつくかもしれませんし、ゴーラについては――正直いって、私は、イシュトヴァーン王がもしヤガでフロリー親子を発見すれば、それでもしかして、フロリーを王妃――には出来ませんが、妾妃として宮廷に入れるだろうと思っているのです。立場上からも、もし、スーティ王子を、第一王子にするか、年上ながら庶子ということで第二王子にするか、それはわかりませんが、王子として正式にお披露目する場合には、一応母親であるフロリー嬢も最低限の地位につけないわけには参りますまい。——それで、フロリー親子がゴーラの宮廷に入れば、リンダさまは、『もう、すでにイシュトヴァーン王陛下には夫人と家庭があられるのだから』といって、ゴネるふりをして、イシュトヴァーン王にはもう自分に求婚する資格はないのだと思い知らせてやることも出来ますよ——ああ、そのう、もちろん、それをリンダ陛下が本当に望んでおられれば、ということですが」

「望んでいますとも。いまさら、ゴーラと併合などされたら、たまったものではないわ」

リンダはむっとしたように云った。それから、ヴァレリウスのいったことばについて、よく考えてみた。

「そうね……それは、まあ、悪くないかもしれないわ——というより、それしかないかもしれないわね。私もう、イシュトヴァーンにははっきりと、アル・ディーンと婚約している、と云ってしまったのだし、アル・ディーンと会わせろ、という要求も突っぱねてしまったし。——でもそれだと、私、これからずいぶん長いこと、ディーンさまとうその《婚約》をしていなくてはならないわけね」

リンダはちょっと眉をしかめて溜息をついた。

「あちらもおいやでしょうけれど——私だってそういう嘘をあまりにかさねるのは、気が進まないわ。もともと、パロ宮廷は誠実と真実とを信条にしているのだし——アル・ディーンさまにはとにかく、まだ正式に法的に離婚が成立したわけではない家庭もありなんだし……」

「それからして、そもそも嘘いつわりといえば嘘いつわりですよ」

ヴァレリウスは慰めるように云った。

「リンダさまのお気持は痛いほどわかりますが、もともとそもそも、吟遊詩人のマリウス、としてケイロニア宮廷に入ってしまわれ、やれササイドン伯爵だの、マリニア姫の父上だの、という立場になられてしまったことそのものが、マリウスさま、というかディーンさまの不覚だったのです。不覚とばかりいってはお気の毒ですね、しょうもないなりゆきだったのでしょうから、まあ災難みたいなものですね。そもそもは、自由になりたいとパロ宮廷を出られ、オクタヴィア姫とも、そういう御身分の女性とは知らないでわりない仲になられ——ケイロニアに親子ともども戻ってササイドン伯爵とされてしまった、というのも、マリウスさま本来の御希望ではなかったのは明らかですし、まあその点では、自由を求めながらも、思ったとおりには決して生きられていないおかたですね」

「それをいったら、でも、それは王家のものなんてみんなそんなものだわ」

リンダはほっ、と吐息をもらした。

「私だって、いまになってこんなふうになるなんて思いもよらなかったし――しもじもの貧しいものたちには貧しいものたちとしての悩みもくるしみもいろいろとあるのでしょうけれど、もしもまた人生がもうひとつあるのだったら、私だって、ディーンさまがそうであるでしょうように、自由なひばりのように身軽なしもじもの女に生まれて、やりたいことをしてみたいわ。冒険をしたり――旅をしたり……」

「さようでございますねえ……」

この述懐には、ヴァレリウスはあんまり同情ももてなかったので、比較的おざなりな返答をした。ヴァレリウスにしてみれば、（俺こそ一番、やりたいことも出来ずにやりたくもないパロの宰相職などをずっとやらされて可哀想じゃないか）という気持がおおいにあったからである。そう思う気持がことのほか強くなりまさってから、何もかもそりがあわない、とだけ思っていたマリウスの《自由を求める気持》のようなものも、ヴァレリウスにも、多少理解が出来るようになってきていたのかもしれない。おそらく、そうなったのについては、ずっと相棒として苦楽をともにしてきたヨナが、ひとりだけヤガへいってしまったこともかなり影響していたのだろう。

「まあ、ともあれそれでやってみることにいたしましょう」

結論づけるようにヴァレリウスは云った。

「それでうまくゆかなければまたそれはそのときのことで――まずは、この考えを実行にうつすにせよ、アル・ディーンさまにもご賛同というか、ご協力を得なくてはなりませんし、それもなかなか面倒な手間ではないかと思いますし――あのかたも強情といったらこの上もなく強情ですからね――しかしまあ、ゴーラ王どのの御訪問は、迷惑といえば迷惑でもございましたが、正直のところ、経済的にはずいぶんと助かったのは事実でした。そのことだけは認めないわけには参りませんね。これで当分、秋の収穫まで、つましくすればつなげるでしょうし――このようなことを、パロの宰相が女王陛下に申し上げなくてはならぬことがあろうとは、夢にも思っていなかったですけれどもねえ。じっさい、いったいこの経費をどうしたものか、もう、恥をしのんでカラヴィア公にまた借金をお願いするしかないだろうか、と思っていたこともいささかありましたので――私としては、それだけでもずいぶんと助かったことでございました」

「………」

さすがにリンダはちょっと眉をひそめて同乗の女官のほうを気にしたが、ヴァレリウスは、安心させるように首を横にふった。

「女官のかたにはちょっとした魔道がかけてありますから、いまここで私どものしているお話は本当に内密のものでどこにも聞こえてはおりませんよ。女官のかたは、クリスタル・パレスに到着しても、馬車のなかでどのような話がかわされていたか、まったく記憶にもないし、聞こえてもおられませぬ。ご安心下さい」

「そういう点では、魔道師が宰相でいてくれる、というのはとても便利といえば便利なのだけれど」

苦笑まじりにリンダはつぶやいた。そして、なんとなく多少気まずい気分で、二人は黙り込んで走って行く馬車の窓から、おもての景色に目を向けていた。

かれらがイシュトヴァーンを見送りに出たのはクリスタル市の市門からちょっと先まででだったので、市門に入り、そこからクリスタルの都を横切って、クリスタル・パレスまではさほどの距離でもなかった。だが、このしばらく、巡察に出ることもなく、もしかしたら戦災以来、クリスタル市そのものにおもむくことも公式行事以外、数少なくなっていたリンダには、クリスタル市の復興がここちよく眺められた。

「ずいぶんと、あちこち復興してきたものだわ！　確かこの前にあちこち見てまわったときには、本当に戦災の傷あとが思った以上にひどいものでびっくりさせられたけれど」

リンダはつぶやくように云った。

「あのときには商店もほとんど木のブラインドをおろしたまま、どの店にも、結局並べるべき商品もなく、買うものもなくて、サリア大通りでさえひっそりとしずまりかえっていたことに愕然としたけれども。——でも先日マルガにいってみて、マルガもようやく多少落ち着いてくれたようなのでほっとしたし……これで、このまましばらく静かな平和な日々が続けば、ずいぶんとパロも立ち直ることが出来るでしょうね」

「それはもう、この秋までには、なんとかして、正常な状態に戻そうとつとめておりますし」

ヴァレリウスは答えた。

「次の税金が入ってくるころには、あちこちとの交易も再開出来ますから、品物もずいぶん豊富になりますよ。いまはまだ、毎日のように、あれが不足だ、これがまったく品切れだ、どこをどう探しても手に入らない、などという話ばかり聞きますが——なかには、砂糖を求めてマリアまでいって大もうけした商人がいる、などという話もございましたが。そういうこともしだいに終わりましょうし、またクリスタルは中原のゆたかな都として住みやすい、人々の安心して集まってくる都市に戻ることでありましょう。——先日は、アムブラで、最初の私塾が講義をようやく再開した、という情報もございました。アムブラはたいそう手痛いいたでを受けておりましたから、市街戦からしばらくはそれこそ廃墟のようなありさまになっておりまして——私も見に参りましたが、これがあのアムブラか、と思うような悲惨なありさまで、がれきのあいだに、親を失った子供たちがうろついてごみのなかで食べ物をあさったりするような状態でございました。むろん学生のすがたなどもありませんでしたし、屋台店もほとんどなく、たまに店を出すと強盗に荒らされて一日ともたない、というような、パロにあるまじき話もききましたが。しかしマルガはもっと悲惨な状態でそれこそ町じゅうの人々が食べるものもなく、森へいって木の根や、リリア湖の水草をとってきてそれをわかちあってなんとか料理して飢えをしのぐ、というようなありさまだったようで――でもマルガも、ずいぶん平和を取り戻したようで」

「そのような話をあなたからきくたびに、とても胸を痛めていたわ、私。だけれども、何をしてやりたくても何も出来ない無力な女王で――」

リンダはつぶやき、そっとルーンの印を切った。

「どうか、この平和がもうちょっとだけでも続きますように。――こんなささやかな平和や安寧でも、私たちにとっては、ナリスの命をはじめ、あまりにもたくさんの犠牲とひきかえに、ようやく手に入れたものなのだから。――もう、この国にも、クリスタルにも、これ以上の災厄がどうか見舞いませんように……せめてあと十年、おだやかでささやかな平和の日々が続いてくれるように。――だめね、私、本当に駄目な女王だわ。祈ることしか、出来はしないんだわ」

「それも王家が祭司長であるパロにとってはとても重要なお役目ですよ」

慰めるようにヴァレリウスは答えた。

「近々に、落ち着いたところで、ジェニュアに参りましょう。あちらも、ずいぶん長いふ《ほう》と放りっぱなしになっておりますし——ヤヌス神殿に陛下がお詣りされて、パロに平和が戻ったことを御報告された、となれば、国内のものたちもずいぶんと安定するかと存じます。——まあ、まだまだとはいえ、とりあえず長かったこのたびの内乱と災厄からも、なんとか抜け出した、ということでございましょうか」

「そうだったらいいけれどね」

リンダは云って、それから、おのれの云ったことばに驚いたかのようにちょっと身をふるわせた。

「どうなさいました」

「ちょっと、さむけがしたわ」

リンダは眉をよせ、肩にかけていた黒いショールをぐいとえりもとにかきあつめるようにして胸に抱いた。

「いやだわ。どうしたのかしら、私——なんだか、さっと日がかげって、黒い影がさしたような気がする。——いやね、縁起でもない。クリスタル・パレスに戻ったら、私、水晶宮の奥の小ヤヌス神殿に参って、ちょっとお籠もりをすることにするわ。もうこれ以上の災厄や戦乱は本当に本当にまっぴらだし——パロはもうこの上ほんのちょっとした重荷にだって耐えられないと思うわ。ほとんどすべてを失った、といってもいいくらいのところまで、叩きのめされたんですもの。これ以上——これ以上何かあったら、もうそれこそ本当にパロの国体を維持してゆくことそのものが不可能になってしまうわ」

「不吉なことをお口に出されますな、陛下」

いくぶん、きっとなって、ヴァレリウスは云った。

「まして陛下は巫女口寄せの聖なる予言者でいられる。陛下が感じられること、というのは、パロにとってはきわめて重大な予兆になってしまいましょう。その、お籠もりとは別に、私もヤヌスの神殿、ヤーン神殿にも捧げ物をしてパロの安泰を祈願するよう、僧官たちに頼んでおこうと思います。どうか、もう、そのような不吉な影のことはお気になさらずに。ごらん下さい、クリスタルの町並みもずいぶんと復興して、市民たちが店の前から、陛下の馬車と知って手をふったり、お名を呼んで喝采したりしております。クリスタルは平和ですよ。――そして、目の前には……」

ヴァレリウスは馬車の前窓を指さした。

「美しい壮大なクリスタル・パレスがひろがっております。あれほど荒れ果てていたパレスもすっかりもとのすがたを取り戻したのです。御心配なさいますな。パロは平和ですよ。イシュトヴァーン王もことなく去りましたし……もうなにごともありますまい」

「そのうちに、まだまだ後回しでもかまわないから、余裕が出来たらカリナエも少し整備してね、ヴァレリウス」

リンダは不吉なものを振り払うように云った。ようやく、その青白いほほにかすかなほほえみが浮かんだ。

「カリナエが、元通りの美しさを取り戻し、そこにあるじはいなくとも使用人たちがまた動き回り、庭園に花々が咲き乱れるようになったときに、本当にクリスタルに平和が戻ってきた、と信じられると思うのよ、私。——そういう日は近いのよね、ヴァレリウス？　私の考えは間違っていないわよね？」

「もう、ほとんどその日はそこにきておりますよ」

ヴァレリウスは答えた。だが、今度は、彼のほうの眉間にかすかな皺がより、ヴァレリウスは、何かひどく物思うようすでリンダを見つめていた。

女王の一行がアルカンドロス広場を通り抜け、クリスタル・パレスに入ってゆく。アルカンドロス広場では、若い騎士たちの一団が行進の訓練に馬を並べて駈けていたが、リンダ一行を見るといっせいに下馬して剣をさやごと宙に突き上げて忠誠の誓いを見せる。そろそろ、ヤーンの塔の彼方に日も沈みかけている。いかにもそれは、ようやく平和を取り戻した伝統ある王国の光景そのものに思われたのだった。

2

それより先立つことしばし。

クリスタル市を出たゴーラ王イシュトヴァーンの軍勢——軍勢といったところで、その数わずか百人の本当の手兵のみの一軍ではあったのだが——はまっしぐらにヤガ方面にむかうクリスタル南街道を南下していった——ように見えた。

すでにクリスタル市周辺、郊外にも、パロに多大な被害をもたらすことになったゴーラ王がこのしばらく、ずっとクリスタル・パレスに、しかも、こともあろうにみずからが未亡人となさしめたリンダ女王への求婚のために滞在していた、ということはあまねくゆきわたっている。ようやく復興を取り戻しつつあるクリスタル市郊外の農家、果樹園、このあたりに多い牧場や、また街道すじに並ぶ商店などの住民たちは、ひと目でそれとわかるゴーラ軍のあかがね色のよろいかぶとをつけた一行が、かなりの速さで赤い街道を南下してゆくのを、飛び出してきて見送り、むろん歓呼の声をあげるどころではない。ひそひそとイシュトヴァーンの悪業や、また平然としておのれが殺した——とパロの人々の大半にとってはかたく信じられていたのだ――アルド・ナリス聖王の未亡人を、まだその喪も正式にはあけぬうちに強引に妻にめとろうというあつかましさについて、悪口を言ったり、ひそかに呪詛のことばを吐いたりしながら、きつい目でにらむように見送るものがほとんどであった。このあたりのものたちは、クリスタル市北部郊外に比べれば、まだしも多少戦災の被害は少なかったとはいえ、それでもマルガにいたる道筋までの地域はあまねく、戦災によって痛めつけられずにはおかなかったからである。多かれ少なかれ、このあたりのものたちは、家族や、親戚に、戦災のために殺されたり、傷をうけたりしたものがいたり、またそうでないまでも家業に手酷いいたでをこうむったり、最少限の被害ですんだものでもその戦災のためにそれまで平和にいとなんでいた日々の暮らしがそこなわれ、影響を受けずにはいられなかったのだった。

それはすべて、レムス王とイシュトヴァーンのせいだ、とクリスタルの人びとは、みなほとんど確信している。そのイシュトヴァーンを、こんなにも早くリンダ女王が宮廷に賓客として受け入れたことについても、何かと町の人々のあいだには激しい批判も多かったし、それが現在のパロの弱体につけこんだものであるならば、いっそうゴーラのしようは許せない、といきまくものもあとをたたなかった。

かえって、クリスタル・パレスの住人たちのほうが、直接にイシュトヴァーンに接することで、イシュトヴァーンの陽気さや、またその持ってきたさまざまな貢ぎ物の恩恵にもあずかることもあったし、イシュトヴァーンが繰り返し、公式の宴の席などでもおのれのついしでかした罪にたいして懺悔し、後悔のことばを述べていたので、イシュトヴァーン王への評価はやや好意的なものに傾いていた。まして貴婦人たちは、イシュトヴァーンの精悍で凜々しい風貌によってかなり点数がかわったのも本当である。それに、イシュトヴァーンが罪を悔いてマルガへも、またクリスタル・パレスへもさまざまな贈り物をしたこと、多額の賠償金——という明らかな名目ではなく、あくまでも土産、という体裁であったにせよ——をもたらしたことも、クリスタル・パレスではもう知れ渡っていて、また、それによってパロが今年の手きびしい窮地をなんとかまぬかれることが出来た、ということも知れていた。それゆえ、宮廷では、ゴーラとイシュトヴァーン王の評判はむしろ好転しているが、巷の人々には、そのような恩恵もまだわずかな部分にしか行き渡らない。いかにイシュトヴァーンのみやげが豊富だったとはいえ、さすがに、クリスタル市全市をうるおすまでにはいたろうはずもない。

それゆえ、通り過ぎてゆくゴーラ王一行をにらみすえるパロの人々の目つきには、かなりけわしいものがあった。なかには、剣を持ち出して、一行にせめて一太刀なりと報いん——とばかりに斬りかかろうとしかけて、あわてて街道の手前でほかのものたちに押しとどめられる血気にはやった若者さえも何人かいたのである。

だが、ゴーラ王の軍勢は、そのような、農民たち、平民たちの憎悪の目や怒りの目になど、気付くいとまさえなかったかもしれぬ。それほど、かれらは、そんなにも急ぐ理由があるのか、と不思議になるくらい、征矢《そや》のように先を急いでいた。

　赤い街道はいったん、クリスタルのすぐ南で、アライン道とロードランド道、そして東にむかうサラエム道と三つにわかれる。さらに、アライン街道を下ってゆくと、マルガ街道に入って南パロスへと入ってゆくことになる。

　ヤガに向かうものは、マルガをぬけ、そのままカレニア、カラヴィア公爵領を突っ切ってダネインの大湿原へと出るのが通常のルートだが、カレニア、カラヴィアは——ことにカレニアは、アルド・ナリスの直轄領であり、カレニア衛兵隊がマルガでナリスを守ろうとしてほぼ全滅の大被害を出していることもあって、ことのほか、ゴーラ王に対するにくしみは深い。それはイシュトヴァーンも知っての上のことで、それゆえ、イシュトヴァーンは、クリスタル・パレスを出立するとき、リンダとヴァレリウスに、「マルガも通りづらいし、ちょっと遠回りにはなるけれども、ロードランドからマリアへ抜けて、それから自由国境に出てタルソ、サルジナへ出たほうがいいんだろうな」とやや自嘲的に洩らしていたのだった。

「しかし、それは相当な遠回りになりますよ。その上、そのままサルジナからチュルファンへ南下されようものなら、その後ダネインを渡るにも、その前に天山ウィレン山脈の端をこえなくてはなりますまいし」

「しかし、俺の一行を、カラヴィアの渡し船が大人しく通してくれるとも思えねえからな」

イシュトヴァーンは苦笑をもらした。

「まあ、自業自得なんだから仕方ねえ。ちょっとはしんどい道になるだろうが、なんとかカラヴィアじゃねえ小さな渡り場を見つけてダネインを渡してもらい、そのあとアルート高原からウィルレン・オアシスを抜けて砂漠をぶっちぎり、まっすぐヤガに向かうっきゃねえだろう」

「それはまたとてつもない道で――」

さしものヴァレリウスも呆れて云ったものだ。

「まことにもって、イシュトヴァーン陛下以外のものではとうてい考えもつかぬような、《命知らずの道》と申せましょうな。ウィレンを越えるのはまだしも、そのあとアルート高原はまあ、最近は高原族がそれなりに発展しておりますからいくつか小さな町もあり、それをたどってゆけばなんとかなりましょうが、ウィルレン・オアシスを抜けてから砂漠をヤガまでぶっちぎり――というのは、ほとんど自殺にひとしい所業ではございませぬか」

「俺はまだまだ砂漠でひからびて死ぬつもりなんかねえな」

イシュトヴァーンは豪快に云ったものだ。

「心配するなってことよ。騎馬の民とは違うが、俺っちだって自由国境の山岳地帯を縦横にかけまわっていたんだ。とりあえずトルー・オアシスまでゆきゃあ、なんとかなるだろう――まかせとけ、無茶はしねえし、手兵どもはユノからこちらを追っかけてくるようにさせておくから、いつまでも百人のままってわけじゃねえさ」

「しかし、草原には、例の騎馬の民が――最近ことになかなか暴れている、といううわさをよく聞きますが」

「そっちは全然心配してねえんだ」

イシュトヴァーンはたくましい肩をすくめた。

「なかなか、たかだか無法者の騎馬の民にしてやられるようなゴーラ兵じゃねえさ。まあ、そういうわけで、クリスタル郊外を出ていったん落ち着いたところで、あまり人々を刺激しねえようにマルガに近すぎない程度のところで、俺たちはいったんとまって、ユノにおいていた部隊と合流させてもらう。そいつらも、クリスタル市民を刺激しねえよう、クリスタル市内は通過しねえで郊外を通ってくるようにさせるから、それについては許可してくれるだろうな」

「それは――まあ――やむを得ますまいな……」

いささか不承不承ではあったが、イシュトヴァーンの言い分のほうがこの場合はもっともであったので、ヴァレリウスは一応承知をした。確かに百人の本当の手勢だけで、ダネインをこえ、砂漠をこえ、草原地帯を横切って、ヤガへたどりつくのはいかなイシュトヴァーンといえども難しかろう。

（本当は、一千人でも大変かもしれないな……だったら、いっそ、それはそれである種の決着はつくというものだが……）

それもまた、ヴァレリウスの胸をかすめたずるい思案であった。

ともあれ、そのようないきさつがあって、イシュトヴァーンは先にクリスタル・パレスをたち、クリスタル市を出て、かなりの速度でその日一日、軽快に赤い街道を南下しつづけていた。そのうちに乗り換えるつもりなのか、あるいは目的とするフロリー母子を発見したらそれに乗せるつもりでか、イシュトヴァーン自身は愛馬の白馬にまたがり、白いマントをなびかせたいつもの勇姿ながら、一行の真ん中くらいには、イシュトヴァーンがゴーラから持ってきた、かなり目立つ白く塗った、ゴーラの紋章を扉のところに打った、御者二人乗り、四頭だて、四人乗りだろうが詰めれば六人は乗れそうな大きな馬車がある。そのなかにはいろいろとイシュトヴァーンの身のまわりの荷物もおさめてあるようだったし、いまのところは、それを管理する小姓が一人なかに乗っているだけで、二人の御者が軽快に、いかにも軽そうにその巨大な御座馬車を御してゴーラ軍のまんなかにある。イシュトヴァーンは、馬車にのることなど、考えたこともないぞ、といいたげにかろやかに愛馬を走らせて、赤い街道の、久々の自由な旅を楽しんでいるようすだった。

　イシュトヴァーンのすぐ前には十人ばかりの精鋭が二列にきっちりと並んできれいに歩幅をそろえて馬を走らせ、かれらは一見してわかる「ゴーラ王親衛隊」の紋章をつけた胴丸をつけて、そろいの、ふちに赤い線の入った黒いマントをつけている。頭にはやはり赤い線が入った、銅色の軽いかぶと、その先頭にたつ二騎のかぶとの先端には、隊長であることを示すふさふさとした、金色のふさ飾りが垂れ下がって風になびいている。

　そのうしろに続く精鋭たちもみなゴーラの紋章を打った胴丸に揃いのマントをつけ、揃いのマントとそれをとめる肩章の色とで階級や地位が明らかにわかるようになっていた。たいていのものはかぶとのさきには何の飾りもなく、ただ、副長、中隊長、小隊長、となってゆくにつれて、小さめのふさ飾りがつけられている。イシュトヴァーンの馬のかたわらにぴったりと寄り添っている、一人だけ黒いふさ飾りのついたかぶとをかぶった武者は、いうまでもなくイシュトヴァーンの副将、気に入りのマルコ准将に違いない。この一行の先頭に立っている金色の房飾りつきのかぶとの二騎は、ひとりはやはり副将のヤン・イン准将、もうひとりはイシュトヴァーン親衛隊の総隊長代理、まだ若いイル・ハン大佐だろう。ヤン・インはしばらくのあいだは、ユノの留守部隊をあずかるためにクリスタルにはきていなかったのだが、イシュトヴァーンの出立となって、急遽一個小隊を率いてクリスタル・パレスにやってきて、ほかのものと交替したのだ。

マルコだけがやや年かさな程度で、ヤン・インもほかのものたちも、ゴーラの軍勢は、みんな基本的に年が若い。ヤン・インも、一応ゴーラでは名だたる武将とされていて、いま現在はモンゴールでゴーラを代表する立場でトーラスにある、前親衛隊長ウー・リー少将なども、まだ二十代なかばという若さだ。ましてて兵士たちはさらに若い。その若さでも、どんどん昇進して、隊長や准将になる機会があるぞ――というのが、ゴーラ軍にとっての、何よりの力のみなもとになって、ほかの国のしっかりと形のととのえられた軍勢にはありえないような、若々しい活力のもとになっている。もっともそれをいうのならば、パロとても同じような若い編成になってはいるが、これは、「ベテランがみな引退したり死んだり負傷したりしたため、そうせざるを得なかった」という暗い事情があるせいか、それともパロとゴーラとの国情、性格の違いのためか、そういう若々しい活力よりは、はるかに頼りなげなおぼつかなさのほうを感じさせてしまうのはいなめない。

やがて、赤い街道に日が暮れてきた。

「陛下」

マルコが馬をよせてくる。イシュトヴァーンが手をあげて差し招いたのだ。

「そろそろ、このへんで今夜は野宿ということになるな。――街道筋にはいろいろ宿もあるようだが、いきなりこの人数で予約もなしに押し掛けると迷惑なこともあろうし、それに何といっても、我々はゴーラ軍だからな。イヤがる宿もあろうしな」

イシュトヴァーンは、不自然なくらい大声で、馬上から、馬上のマルコにむかって怒鳴るように喋っていた。

暮れかけた赤い街道の周辺には、このあたりはクリスタルがまだ近いので、ぽつぽつと商店も並んでいるし、また何十モータッドか距離をおいては、小さな宿場町が形成されている。宿場町、というにはあまりにおこがましい、ただ、いくつかの宿屋と土産物屋、そして食べ物屋と、それに便乗しようという屋台などがそれにくっついている、という程度のものだ。

そこの住人たちや、そこに投宿しよう、あるいはそこでクリスタルに入る前に夕食をしたためようなどという旅人たちもかなりいて、それらは、街道を下ってくるゴーラ王の軍勢を、嫌悪の目や反感の目で眺めながら、麺の碗を手にしていたり、それに追い抜かれてとぼとぼと歩いていたりしたのだった。

まるで、その人々に聞かせるかのように、イシュトヴァーンはなおも大声でいう。

「まあいい。俺たちは野営に馴れているし、このあたりは、この季節とても気候がいい。ちょっと山側に入ってゆけば、かなりのんびりと出来る森のなか、林のあいだの空き地もあるだろう。マルコ、お前何だったらあとで食べ物だけ少しばかり、あちこちの宿場をまわって調達してこい。いや、全員の分である必要はねえ。大体やつらには最初に三日分の兵糧は配ってやってある。幹部どものだけでいいや。それと、酒とな。——これも持ってきちゃああるが、持ってきてる分はなるべく節約してえからな。そう、酒は大事だな」

「陛下と幹部のかたたちだけでも、どこぞの本陣にお泊まりになりませぬか」

マルコが、これも大声で云う。それへ、イシュトヴァーンはかぶりをふった。

「もう、しばらく部下どもの大半とはなればなれになってたから、はなればなれになってるのは飽きたよ。今夜は久しぶりで、皆を迎えてゴーラ流の野営の宴としゃれこもうじゃねえか。酒はタルごとだし、さかなはたいしたものがなくともな」

「どこかで、ブタの丸焼《ゴロン》きくらいは仕入れてこられるのではないかと思いますよ」

マルコは笑って保証した。そして、イシュトヴァーンが「ここにしよう」と馬の足をとめさせたのをみると、数名の身のまわりの兵に「ついてこい」と命じて、そのまま、赤い街道の宿場群のほうへ馬を戻していった。

イシュトヴァーンのほうは、馬をかって注意深く赤い街道からそれ、ゆたかな果樹園といろいろなものがなりかけている菜ものの畑のあいだを抜けて、どんどん山のほうへと入っていった。山といってもたいした山ではない。丘、といったほうがふさわしいくらいだ。だがこの時代、たとえクリスタル市郊外であっても、都市のまんなかでない限りは、中心部をいったんはなれると、すぐにあたりはゆたかな大自然のなかに分け入っ

てゆくことになる。

「川のせせらぎが聞こえやしねえか」

イシュトヴァーンは満足そうにいった。

果樹園のうしろに、その果樹園を経営するものの家だろう。いくつかの農家がよりそいあうようにして立っていたが、その奥は、またさらに田畑や果樹園があるだけで、ぽつりぽつりとそうした農家が散見出来はするものの、あとはゆるやかな丘陵地帯のふもと、といった感じのあたりであった。丘陵の上のほうには、あまり人家もないようだ。

そろそろもう、日は落ちて暗くなりかかっているが、赤い街道ぞいには点々と人家のあかりが見えるけれども、丘陵側には、あまりそれらしいものも見えない。たまに山の端にぽつりと小さな、いかにもひっそりとしたあかりがみえるのがいっそ風情が感じられる。それでも、このあたりは、いまのこの世界ではもっとも人口の多い――それも戦乱でかなり減らされてはいたが――伝統ある国家の、百万都市といわれた首都のすぐ郊外、その首都をささえる地帯であるのだ。

この時代、世界の大半は未知の、いまだかつてひとに拓かれたことのない大森林、草原、高原、丘陵地帯、そして大海がひろがっていて、人間は暮らしやすい中原を中心に、比較的安全で気候のよいあたりにしがみつくようにして生きている。ようやく、船による往来が活発になってきて、南にも、巨大な大陸があったり、沢山の都市や国のある、大勢の人が住むところがあるらしいと知れてきたり、また見渡すかぎりの大洋にも点々とかなり大きな、それなりに文化を持った国家が存続している島々があるようだ、ということも知れはじめているが、それでも世界のまず五分の三は、未知の場所であるだろう。まして、中原の拓かれた場所にのみ暮らす人々にとっては、一生、中原以外の場所に旅することもないまま、南方、北方、はるかな東方や西の砂漠に何があるのかなど、知らずに終わるものが大半である。

それに比べればこのあたりはずいぶんとよく拓かれてもいるし、すみずみまでひとの手がふれてもいる。それでもなお、丘陵地帯のちょっと奥に入ってゆけばそこは深い林のなかになり、木々の向こうにちかちかと人家のあかりが見えても、そこにたどりつくためには何ザンもかかる、などというありさまだ。

イシュトヴァーンは、あたりを見回し、さらに念を入れて見回して、もうこのあたりには果樹農家も、またぽつんとたっている人家もないのを確かめた。

「おい。このあたりをくまなく偵察してこい」

つねに周辺においている偵察部隊の若者たちに声をかけると、

「はッ！」

と威勢よく返事をして十名ばかりがただちに飛び出してゆく。

「よし、肝心の場所はここと決めた。マルコ、伝令に伝えて、ユノの連中を、クリスタル郊外あたりでつかまえてこちらに誘導させろ」

「かしこまりました」

「今夜はここで夜営だな。まあ、ここで夜営するとさんざん言いふらしながらきたからな。一応、かがり火をたけ。食い物の準備をしろ。だが軍装は解除してはならんぞ」

「はッ！」

「かがり火をぐるりと、そうだな……」

イシュトヴァーンはまたあたりを見回した。

「ああ、あのあたりがいい。あのあたりを中心にして、そこのまわり五百タッド程度に軍勢がひろがっているような感じにたいておけ。あの、大きなエンの木がある下あたりだ。あの木なら目印になるし、それに、あのまわりをちょっと切り払っておけば、野火になって燃え広がる心配はないだろう。おい、一個小隊いって、あの木のまわりの下生えを切り払い、夜営出来る状態にしてこい」

「かしこまりました！」

次々とイシュトヴァーンのくりだす命令に、もうすっかり馴れている、という感じでゴーラの若い騎兵たち、歩兵たちは答え、次々と、しだいに濃くなりまさる闇のなかに散らばってゆく。

やがて、そのあたりのあちこちに、かがり火が焚かれ、あたたかなオレンジ色の火が燃え上がった。イシュトヴァーンのいった大木のあたりを中心に、いかにも小さな軍勢が夜営をはじめようとするらしく見える。一回だけ、火が木々やそのあたりに積み上げられている肥料にするための枯れ草などに燃え移るのを心配してだろう、街道筋に住んでいるとおぼしいこのあたりの住人たちが数人、様子を見にあらわれたが、ゴーラの軍勢であることはもとより知れている。おどおどと遠目からようすを見守っているのへ、

「おい、このあたりのものか。心配いらぬ、一夜ここに夜営させて貰うが火の元には十分気を付け、決して野火にするようなばかな真似はせん。それに、明日の朝になる前に立ち去る予定だ。こちらは先を急いでいる。心配するな」

イシュトヴァーンが大声をかけると、あわてたように何回も頭をさげて、そのままそそくさと立ち去っていった。

「まあ、これだけふれておけば、ほぼ大丈夫だろうが――」

イシュトヴァーンは呟いた。馬どもは火の外の、木々が密生しているあたりにまとめてつながれ、下生えの草を勝手にはめるようにくつわをゆるめられている。

「月は……」

イシュトヴァーンは空を仰いだ。

「まだ高い。――闇夜になるには、まだ三ザンばかりはあるな。――おい、そこのお前、馬車から俺の毛布類を出してきて、どこでもかまわねえから、俺の寝場所をしつらえろ。

それをしているあいだに、そっちの兵糧係のやつ、ええと、テンといったかな。簡単でかまわねえから、俺の晩飯をととのえてくれ。なに、腹さえいったん満ちればかまわねえ。なにせクリスタル・パレスで一と月は御馳走ぜめだったからな。何も食わねえでも当分はもちそうなくらいだから、ごく簡単に、パンに何かはさんでくれればいいぜ。それとちょっとだけ酒だ。ただし、これこそ椀一杯って感じにしといてくれよ。俺にはまだやることがあるんだ」

3

その翌朝。

はやばやと、丘陵部に野営していたイシュトヴァーンの小さなゴーラ軍は動きをみせた。

しかしその動きはややきのうまでとは違うように感じられるものであった。まだあたりの人々がぐっすり眠っているほど早い時間に、なるべくやかましい音をたてぬよう気を付けて、一行は野営のあとをすべてきれいにとりかたづけ、間違ってもくすぶったおき火から枯れ草の山に燃え広がったりすることのないように丁寧に水をかけてかがり火のあとをふみつけ、馬に草をやり水をのませると、そのまま赤い街道へと向かった。

赤い街道に馬車を先頭にしてのぼると、さすがにこの時間では、このへんでも夜通し歩く修行者などがいないかぎりは旅行者も商売のものもいない。ゴーラ軍はきびきびと動き、あたりにひとけのないのを確認してから、ふたてにわかれた。

一方は、イシュトヴァーンの豪華な、紋章をつけた御座馬車を中心に、六十人ばかりの騎士たちが編成している小部隊であった。御座馬車のうしろに、もう一台の、輜重《しちょう》兵用の糧食や武器などをのせた重たげな荷馬車が続く。

もう一方は、それ以外のものたちで編成されていて、身軽そうな装備に、かぶとの面頬を深くおろし、黒いマントからは、いつのまにか、階級章を示す赤いぬいとりや、肩章などがみな取り去られていた。それで、この一行のほうは、どれもみな印象が似てみえた。かぶとの面頬をおろしてしまえば、魔道師のフードをあげたようなものだ。ひとりひとりの顔はよくわからなくなる。

そうやってふた手にわかれると、もう、余分なことばはかわされなかった。互いにリーダーらしきものたちがうなづきあうと、そのまま粛々と、がらごろとわだちの音を響かせながら、御座馬車とそれを取り囲む六十騎はヤガに向かう南方向へと、すすみはじめた。

もうひと手の部隊は、騎馬だけであった。先頭に数人のいわくありげな、武将らしき騎士たちがいたが、それもみな、かぶとのてっぺんにつける階級章の房飾りもとってしまい、面頬をさげて、その上からマントのえりをあげて、顔がわからぬようにしている。

それだけでも妙にいわくありげなこの一団は、するりと赤い街道を、少しクリスタル側へ戻っていったところで北へむかう古い脇街道のほうへとまがった。そこはもう、主立った街道としては使われておらぬ、クリスタル郊外の、それほどひとの棲んでおらぬ森林地帯のなかに延びている道である。

どう考えてもヤガに向かうとは思えぬその道をとり、もうはたにひと目もなくなった、と確かめると、先頭に、白い馬に黒い布をかけて騎乗していた一騎がかるく手をあげた。すらりとして長身の、いかにも歴戦の騎士、という感じの一騎だが、顔はすっぽりとマントのえりをたて、かぶとの面頬をおろし、髪の毛もマントのなかに包み込まれて、風貌はさっぱりわからない。ただ、よくよく注意ぶかいものが見たら、マントが風にひるがえるとき、その下からみえる装備が純白であること、そしてその腰から下がっている大剣が、通常の兵士たちではとても与えられないくらい、立派な装飾をほどこしたものであることに気が付いただろう。そう思ってみると、マントのすきまからちらりと見えるこの小さな一隊の装備は、いずれもかなり立派な、幹部クラスのものである。

北に向かう古い街道に入ると、指揮官はさらに手をあげ、手袋をした手をかるくうち振って、数名の斥候に先にゆかせた。それが戻ってくるのを待ちながら、一行は、それほど早くなくゆるゆると街道をうたせてゆく。つまりは、ヤガに向かう南と正反対——かれらがきのう一日かけてあとにしてきた、クリスタルの方向にこの街道はむいている。もっとも、直接クリスタルに入るわけではなく、クリスタルを大きく迂回して、クリスタル市の南側に、まるでクリスタルという女性の胸に下がっている忘れられた赤いネックレスのようにだらりと半円を描くようにしてのびているのだ。そのまま、つきあたりまでゆくとその古い名もない道は意外なことに、クリスタルをこえてからちょっと先で、ユノからまっすぐおりている道にぶつかることになる。

この謎めいた一行が目指しているのはどうやらそのあたりであった。やがて斥候たちが帰ってきて、何やらを告げると、一行は、速度をあげて、この打ち捨てられた街道を進みはじめた。

この街道が旧街道として打ち捨てられ、忘れられるようになってしまったのは、それよりもずっと広く便利のいい、整備された新街道が出来たからだが、同時に、この旧街道を通ることは、イラス川とランズベール川、クリスタル市から流れ出てくる二つの大河を、舟で以外渡す方法がないからでもあった。新街道は当然、どちらの川にも、馬車が二、三台並んで通れる程度に立派な橋がかけられている。そういうことになれば、当然、舟でしか渡りようのない、橋のない街道は打ち捨てられて、忘れられてゆく。

もともとは、同じように幹線道として用いられていたのだが、そうなって、新街道のほうが栄えだすと、もう、旧街道をあらたに整備するよりは——ということで、旧街道ぞいに暮らしていた店のものたち、宿場のものたちなども次々にもっとクリスタルに近く、便利のいい新街道ぞいに引っ越していってしまったのだ。それゆえ、この街道の両側には、ことのほか、ひっそりと崩れかけている廃屋が多い。人口もぐんと減り、また、クリスタル市内との交易、商売も、ずっと減ってしまった上に、そのままそこにしぶとく住み着いているのは老人たちばかりだから、それが死んでしまえば、次々とそのあたりは空き家になって、そのまま放置されてゆく。パロの空き家は木造ではなく、石作り、レンガ作りであるから、いずれ何かに使えるかもしれぬ、というようなことで放置されたままま、あまりに時を経ると崩れ落ちて土になってしまったり、少なくともレンガとレンガをつなぐ土がぼろぼろになってかけおちて、レンガの山になってしまったりしているものも多くみえる。

そのような情報を、いつ、どうやって仕込んだものか。その、うらさびれた旧街道を、ゴーラ軍の主流から別れた——とみえる一行は、ひたひたと、さらに行進の速度をあげながら、馬の鞍の上になかば身をふせるようにして進んでゆく。街道の両側でそのような崩壊がおこっているから、街道そのものも無事ではいられない。整備し、ととのえなおし、レンガを敷き直すものがいないと、沢山の馬や人や馬車が通り過ぎる街道は、みるみる荒れてゆく。レンガが欠けていたり、ころがり出たレンガがそのあたりにころがっていたり、その、欠けたレンガのあいだから妙にうっそうと雑草が繁茂してそこだけ小さな茂みを作り上げていたりと、なかなか、きれいに整備された街道を進むよりは困難が多い。

だが一行はべつだんそれを気にかけるようすもなく、ただ先頭をゆく指導者から「ウマの足元によく気を付けてやれよ!」という注意がとんだだけで、いずれも馴れきった騎乗者なのだろう。ウマもまた、よく訓練されているとみえる。なにごともなくなめらかな平地をゆくかのように、さっさとレンガの山をまたぎこえ、雑草のしげみをよけ、水の溜まっているレンガの欠けた穴にはウマが足を突っ込まぬよう手綱をひきしめながら、軽快に走り続けている。だが、確かにこの荒れようだと、暗くなってきて足元がさだかでなくなると、同じ速度で進んでゆくのは困難であるかもしれぬ。

空で、ガーガーがなにやら騒いでいた。

「申し上げます」

また、さいごに戻ってきたらしい斥候の一騎がぱっとウマから飛び降りて膝をつく。

「ユノ軍はそのさき、ランズベール川の東岸にて、お待ちしております」

「わかった」

「その前に、イラス川を渡る方策をたてねばなりませんな」

指揮官のかたわらに寄ってきた、副官らしい男がささやいた。面頬をおろしたままの指揮官はふっと鼻でわらった。

「イラス川といったって、ランズベール川に比べれば幅も狭いし、浅瀬だってあるだろう。我々はたいした荷物もねえ。このまま、ウマで泳ぎ渡ればいいさ」

「えッ。それはまた無謀な」

「ランズベール川はな。——ちょっと、イカダのひとつも組まないとまずいかもしれねえ。それだと、もうちょっと下流の、もうちょっとひとけのねえところに腰をすえて、二艘ばかりイカダを組んで、それで何回か渡してやればいいだろう――臨時の橋を組むほどのことはあるまい。ランズベール川がでかいといったって、ケス河ほどのことはないからな」

「イカダを、組みますので」

驚いたように副官が云う。

「まかせとけ、こちとらはそれが専門みたいなもんだ。イカダの組み方なんかいやというほど知ってる。それで、あの暗黒のケス河を、下からはこっちをねらってる《大口》だのなんだの、ノスフェラスの怪物どもがうじゃうじゃしてる中を、イカダでルードの森からノスフェラスへと押し渡って逃れたことだってあるんだ」

「まあ、それは……」

「このへんは木もふんだんにあるし、何の心配もいらねえさ。ただ問題があるとすりゃあ、まだまだ俺の思うよりずっと人里が近いから、あまりのんびり構えてると、様子を偵察にこられちまう。そうしたら、俺様の本当の計画も何もかもバレちまうかもしれねえってことだけだ。だがまあイラス川を渡るまでは大丈夫だろう。イラス川を渡ったらもうちょっと下流へ――場合によっては自由国境地帯までも下りてみたほうがいいかもしれん。さすがにパロだな、ふつうなら、ゴーラでもモンゴールでも、首都を出てもうこのくらい、三、四モータッドもたてば、あたりはもう山深くなってくるんだが、クリスタルだけあって、なかなかならねえ。どこまでも、ちろちろと人家が建っていやがる」

「それはまあ……パロでございますし……」

「よし、伝令に、ユノ組にも少しづつ様子をみながら、けどられぬようにランズベール川にそって下流に向かっておけといっとけ。今日のところはまずイラス川渡りまでだ。――そのイラスとランズベールの中州でいったん今夜は野営して、そのあいだにランズベール川の渡河について考えよう。――もっとも、あっちのユノ組はかなり人数が多いんだな。そいつをうまく使えば――もっと楽に渡れるかもしれねえし」

「さようでございますか……」

「まあ、まずはイラス川を渡っちまおうぜ。だいぶ濡れるだろうし、水に慣れてねえウマはイヤがるだろうが、なかには水に慣らしてあるウマもある。馴れてねえウマはなれてるやつにすぐうしろについてゆくようにさせて、濡れたらやばそうな荷物はみな頭上にくくりつけろ。イラス川なら、確か一番深いところでもそう流れは速くねえ。パレスの地図室で調べたり、いろいろそれとなく聞いてみたりしたんだ。ランズベール川のほうが厄介らしいぞ。だがまあそれはあとのことだ。ともかく、イラス川を渡っちまえ」

指揮官がかるく手をあげると、いまでは四十名に満たない小兵になった『北上組』は、命令一下動き出す。若干の不安は抱いているようだが、誰もそれを口に出すものはない。

やがて、目の前に、幅八十タッドほどのあまり清流とはいえない、いくぶん茶色っぽく濁ったイラス川があらわれて、そこでこの旧街道はぷつりとおしまいになった。

実に味もそっけもない終わり方で、道が川に飲み込まれでもしたかのように、それほど高くない土手にぶつかってそれぎりになっている。左右には一応、ほそぼそとした道が川にそってひろがっているが、それは舗装もしていない、もうずっとひとの手入れの入った形跡もないただのけものみちのようにみえ、左右にはおびただしい、丈たかいアシがしげっているので、小さな子どもなら、身をかがめて通ればその姿がみえなくなってしまうだろうというほどだ。

河原には全体にアシがぼうぼうと茂っており、時ならぬ訪問者に驚いたようにそのあちこちから、パタパタと水鳥が飛び立っていった。もっと大きな、猛禽らしい鳥もいて、これは悠然ともっとずっと高い空を輪を描くようにまわっている。

「あいつが、ヴァレリウスの配下の魔道師の化けた見張りだったりしたら、たいしたものなんだがな」

イシュトヴァーンはふざけたように云ったが、伝令が駈け寄ってきたのですぐに真面目な顔になった。

「どうした。ユノ組と連絡はついたか」

「はい、無事つきまして、ヤン・イン准将率いるユノ軍はただいま、ランズベール川とイラス川の中州にぶつかる場所めざして旧街道を進軍中であります。ただ、極力少しづつにわかれ、あいだをとり、パロ軍に発見されぬように、との御命令でありましたので、一個小隊づつ送り出してしばらくあいだをとってからまた一個小隊があとに続く、という方法で、はかはなかなかゆきませぬが」

「いい、いい。ならば、ついでに伝令で、夜になったらそのまま夜営せずに一気に目的地を目指せといっておけ。こちらも、思ったよりこの周辺はひとけがある。ぼちぼちとだが人家もあるし、あんまり木々が深くねえから、かがり火をたいたりがしづらい。こちらからも伝令で合図をするから、そっちからも、のろしをあげたりせずに伝令を出せといって、とにかく今夜じゅうをめあてに合流することを目指せ、と伝えろ」

「今夜中には間違いなく全員ランズベール川に到着することと存じます。はい、さように伝えます」

「よし、行け」

伝令がころがるように駈けだしてゆくのを、イシュトヴァーンは満足げに見送った。

「我々は今夜はこの中州で夜営だ。中州の場合心配なのは、夜半に雨が降り出して川の水位が上がったり、そうでなくとも水が中州のほうにまで上がってきてしまうことだけだな。さいわいこの中州はかなり広いようだ。このなかで一番木々がおいしげっていて、高めの土地になっているところを選び、そこに夜営の準備をせよ。そのまわりに馬をつなぎ、ただし今夜はたとえかなり冷え込んでもかがり火は焚けぬから、馬もしっかり最初に汗を拭いておいて、たっぷりとかいばをやれ。我々も、あたたかい飯は食えないぞ。干し兵糧を水に戻したものでとりあえず今夜だけしのげ。体調の悪いものだけ、いまのうちに小さな火を焚いて干し兵糧を湯で戻して食事をすましてしまえ」

「かしこまりました」

「明日ユノ軍と連絡がとれしだい、ただちに行動にうつるからな。こんなところに用はない、一刻も早く対岸にうつるんだ。そうだ、いまのうちに、木を切り払い、イカダに使えそうな木を選んで積み上げろ。そうしたら俺が、馬と人が乗っても大丈夫なイカダにするための縄のかけかたを教えてやる。この中州だけだとそこまで沢山の木はないかもしれん、少なくともそこまで太い木はないかもしれんな。その場合には、イカダにするより簡単な橋をかけたほうがいい。それで馬は半分泳がせ、人は手をつなぎあって棹を頼りに対岸へ渡るんだ。イラス川より、ランズベール川のほうがだいぶ深くて流れも速い。うっかり足をとられると大惨事になる。——そのためにも、イカダにするにせよ橋にするにせよ、あるていどしっかりしたものを組んでおくことだ」

「陛下」

思わず、マルコが感服の声をもらした。

「私などはもともとがヴァラキアの船乗りですから、いろいろなことを訓練で教わりもします。いま陛下がおっしゃったようなことは、甲板走りのころにいろいろと先輩から教えてもらったりもいたしますが、陛下がよくそこまでご存じなものだと……」

「忘れてくれるな、マルコ」

イシュトヴァーンは褒められて嬉しかったので、にっと白い歯を見せて笑った。

「俺は、ヴァラキアの甲板走りのちびだったんだぜ。——厳密な意味じゃあ、本当の甲板走りとして雇われたわけじゃねえが、オルニウス号に拾われたときにゃ、自分から進んで、甲板の雑用もどんどんして、いろんなことを覚えようと一生懸命だったし、また先輩の水夫どもに、あれやこれや、夜は夜で酒をくみかわしながら、役にたつことをいろいろきかせてもらったもんだ。あのころは、なかなか俺もやる気があったもんだよ」

「そうでしたな。オルニウス号の最後の航海に、乗っていらしたのでした」

マルコは遠くを見るようにつぶやいた。

「私はあの航海には、母の病気で、乗り損ねました。あのころはまだ、カメロンおやじとはそこまで深くありませんでしたしね。——もし乗っていたら、オルニウス号は確か南の海で全滅してしまったのですから、私だけ生き残れるという可能性はまったくなかったでしょう。そうしたら、こうして陛下の副官にしていただくこともなかったわけで」

ひどく懐かしいものを思い出すように、イシュトヴァーンは云った。

「あの航海はなあ――!」

「ああ、ありゃあ、本当にちょっとした大冒険だったよ。なまなかじゃあ出来やしないというより、俺以外のものじゃあ、とうてい想像もつかねえような。とてつもねえ大冒険だった。だが俺は生きて帰ってきたよ――俺とカメロンおやじだけがな。そのまま、ヴァラキアに戻ってきていれば、それもまたそれだったんだが……」

「南の島でカメロン船長とはたもとをわかたれたんですよね」

「ああ、カメロンが、どうあれヴァラキアに戻って報告しなくちゃならねえっていってどうにも心をかえさせられなかったからな」

懐かしげに思い出話をしながらも、イシュトヴァーンの心は、すでに遠い昔の思い出からははなれ、目の前の乗り越えなくてはならぬいくつもの問題にとんでいるようだ。

「とにかくパロ国境を出たらあとは極力、パロ方に知られねえように動かなくちゃあならねえからな。このあたりまでは、これだけ人が住んでるんだ。どうあれ妙な連中がやってきてなにやら妙な動きをみせてる、ってことはどこかから、クリスタル・パレスにも聞こえちまうだろうが、それも我々が自由国境地帯に入れば少ししずまるだろう。勝負はこのさきの数日だ。そのあいだにうまく――」

うまく、どうしようというのか。

イシュトヴァーンは、そのさきはことばに出さずに、じっと何かを考えつめるようすに見えた。

その浅黒いひいでたひたいの奥では、なかなかにそのやんちゃ坊主めいた見かけからは思いもよらないくらい、緻密な考えが、あれやこれやと渦巻いているのかもしれぬ。

（この人も、なんだかずいぶん変わってきたことだ……）

マルコは、黙り込んだイシュトヴァーンの、それだけは傷を何ヶ所か受けてもかわらぬ秀麗な横顔の線に目をあてながら、ひそかに考えていた。

（最初のうちは、ただの無茶苦茶な我儘坊主に見えた――このままゆくなら所詮、魅力はあっても、結局野盗の首領あがりの、一地方の領主で終わってしまうのかなと思っていたが――まあ、そうなったところで、俺が選んだのはカメロン船長についてゆくことであって、そのカメロン船長が命じたことなのだから、イシュトヴァーン陛下の腹心となるのも結局はカメロン船長の命令に従っていることだ、と自分に言い聞かせて――ときにあまりにも自分の考えとそぐわぬことがあろうと、意見をしたくなることがあろうと、ぐっと飲み込んで、ここまでただずっとついてきたが……）

皮肉なことに、イシュトヴァーンが、マルコをもっとも深く信頼するようになったのは、その、マルコが何ひとつよけいな差し出口や忠告や諫言《かんげん》をしない、ということであったらしい。ただ黙って側にいる、というような相手には、イシュトヴァーンはあまりこれまで出会ったこともなく、それゆえに、どんどん、マルコの上に深い信頼をよせるようになってきたのだろう。いまでは、マルコ准将はイシュトヴァーン王の腹心中の腹心として、いつのまにかゴーラにとってなくてはならぬ存在となっている。

(それもまた、ずいぶんと皮肉なことだが……)

いっときは、それが、カメロンという、マルコにとって本来のあるじである男と、そのカメロンに命じられたからこそ忠誠を誓っているイシュトヴァーンという、《二人の剣の主》をもつことに、マルコにとっては大きなとまどいになったり、葛藤になったりしたこともあった。

だが、こうして長いあいだずっと副官としてそばにいて、イシュトヴァーンもなついて深く心を開いてくれてもいるし、マルコにだけは、他の人間に話せぬような話もすんで打ち明ける、「お前だけが、俺の無条件に信じられる相手だ」などと云われるようになってみれば——そしてまた、長いいろいろな冒険をともにして、そのあいだずっと、イシュトヴァーンの無鉄砲だが活力に満ちた態度や、荒々しいがふとした瞬間に思わぬ心遣いをみせるところ、また本当は幼い子供のように純真なところをまだ残しているようすなどを見ていれば、情もうつるし、イシュトヴァーン自身が可愛くもなってくる。

いまのマルコは、むろんカメロンに対しては何ひとつ、剣を捧げた心持が変化するようなことはないにせよ、ずっとカメロンからは離れていて、イシュトヴァーンのかたわらにずっとつきそっている分、イシュトヴァーンのほうに気持が傾いている部分があることに気付いて、ぎくりとすることもあった。

（だが、ぎくりとすることなんか何もないのだ——そもそもカメロンおやじさんはイシュト一辺倒なんだから。だから、イシュトヴァーン陛下をお守りし、その命令に従うのは、最終的には、おやじの心にかなうように行動していることになるはずだ）

（もし、それで問題が起きてくることがあるとすれば——万一にもありえないとは思うが、カメロンおやじさんとイシュトヴァーン陛下とのあいだに、反目というか、何か亀裂が入り、それが修復のしようがなくなったときだろうが……）

もしも万が一にも、ゴーラ国内にあってずっとイシュトヴァーンの留守を預かっているカメロンと、それに安心しきっておのれの国をずっとあけて遠征ばかりしているイシュトヴァーンとのあいだに、致命的な対立が起こってしまったような場合には、自分は、どうしたらいいのだろう。

（そのとき、おのれがどちらにつくか——いまの俺にはもう、想像もつかなくなってしまった。以前だったら、むろん何も考えることなく、自分が陛下づきになったのはカメロンおやじの命令にすぎないのだから、ということで、ただちにカメロンおやじのところに戻ることしか考えなかったと思うが……）

ブラン、ワン・エン、サムエル——長年、ヴァラキア以来の盟友として、同じ船に乗り、同じ釜の飯を食ってきた、ドライドン騎士団の仲間とも、このところ、マルコだけは、何年にもわたって、はなれてしまっている。

そのことへの寂しさもあったし、ことにブランとは親友であっただけに、まったく別別の任務についてなかなか会うことも思うにまかせなくなったのはとても寂しかったが、しかし、何があろうと、カメロンがイシュトヴァーンにそむいたり、対立したりするなどということはありえないはずだ、とマルコは思った。

（そうだとも。——そんなことは、それこそ天地がひっくりかえったってありえないくらいありえないはずだ。おやじさんはあれだけ陛下に入れ込んでるし、惚れ込んでもいるし——それに何よりも大事にしてくれている俺たち部下をまるごとひきつれて、ヴァラキアを飛び出すくらい、すべてを陛下にかけたんだから。——そうだとも、そんな心配をすることはいらない。天地がさかさになろうと、カメロンおやじが陛下から本当に離れようとするなんて云うことはおこるわけがないんだ……）

自分は何を、つまらぬ心配をしているのだろう、とマルコは思った。

（まるで、洪水がくるのを恐れて山にのぼり、そこで食べるものがなくて餓死してしまったというあの伝説の馬鹿な男のようだ！）

あまりにもさだめなき、あちらに引き回され、こちらについてゆき、という日々が続きすぎて、身の落ち着くいとまもないからだろうか。

そう思いながら、マルコは、ただ黙って目のさきにあるイシュトヴァーンの浅黒い横顔を見つめていた。イシュトヴァーンは何を考えているものか、その表情ははかり知れなかった。

4

ぽちょん――

また、小さな水音が落ちた。

さっきから、定期的に、その水音は、壁のほうからしたたっている。

ぽちょん――

ぽちょん――ぽちょん。

そのごくささやかな音が、少しずつ意識のなかに入り込んでくる。それによって、少しずつ、ほんの少しずつ、自分が、現世に引き戻されつつあるのがわかる。

(なんて、暗いのかしら……真っ暗……まるで目が見えなくなってしまったよう……)

だが、そうでないことはわかっていた。かすかに、ほんのかすかにだが壁の輪郭がある。耳はその微細な水音をもとらえるくらいだから、何の異常もなさそうだ。

ひどく、寒かった。全身ががたがたとこごえてくるくらい、寒いところにいるのだ、と思う。何かないのかとあたりに手をのばすと、からだのまわりに、何かひどく粗雑な布の、ざらついた毛布のようなものがあるのがわかって、思わずひきよせた。どれほど粗雑な布であっても、この寒さには耐えられない。

布は、明らかに古い汚い毛布で、しかも多少湿気をふくんでいた。それはなかなか不愉快な手触りではあったが、それでも何ひとつないよりはマシかもしれないと、からだのまわりにそれをひきよせ、からだをおおうようにした。最初は、ぞくっとするような冷たさが伝わってきたが、ひたすら小さく身をまるめていると、少しづつあたたまってくる。自分が、何か固い、ひどく固い古い粗悪な布団をのせた寝台のようなものの上にいることもわかった。

（ここは――どこ……）

（いったい私――どうしてしまったのかしら――ああ、そう……おお、そうだわ。スーティは……スーティはどうなったのかしら……）

また少し、現世の記憶が戻ってくる。半分は、それは、戻ってこないほうがマシなようなしろものではあったが。

意識を失う一番最後にあったこと、そのぞっとする感触を思い出したとたんに、フロリーは思わず小さな悲鳴をあげた。それは、《長舌のババヤガ》と確か名乗ったはずの、おそろしく不気味な妖怪としか思えぬ生物が、彼女をおのれの、まるで動き出したボロ小屋みたいなからだの下にひきずりこみ、のしかかってきた、そのあまりにも不気味きわまりない映像だった。

（未完）

解説

今岡　清

グイン・サーガ最後の巻となった本書『見知らぬ明日』を手に取られた方は、どのような思いで、正篇では初めてである著者以外による解説をご覧になっているでしょう。百二十八巻、百二十九巻とあとがきのないグイン・サーガが出版され、そして本書でグイン・サーガは最終巻となりました。その最終巻に著者以外の手による解説が付されていることがどのように受け取られ、そしてどのように読まれるかと思うとその思いの重さに筆がなかなか進みません。しかし、グイン・サーガが世に出た当時の担当編集者として、私もまたいまこうしてグイン・サーガの最終巻の出版にあたってはさまざまな思いがあります。読者の皆さんにとっては、一編集者であった者のそのような思いなど、どれほどのものでもないかもしれません。しかし、ともかくもグイン・サーガ誕生に立ち会った者としてこの解説を書くことをお許しいただければ幸いです。

真っ白いライフの原稿用紙に黒いインクで書かれた「それは——《異形》であった」の文字を目にしたときの私は、自分がまさかにこのような巨大な世界のとば口に立っていたのだとは思いもしませんでした。たぶん、この時点では作者当人もそうは思っていなかったように思います。

一九六〇年代から七〇年代にかけて、カウンター・カルチャーと連動しつつ前衛的な手法が注目されていたニューウェーブと、パルプ・マガジン時代の冒険活劇の復活とも言えるヒロイック・ファンタジーが、なぜかほぼ同時にSFファンのあいだで話題を集めていました。そして、火星シリーズ、英雄コナン・シリーズなどのヒロイック・ファンタジーの代表作が次々と翻訳されていたのです。

作家デビュー以前からヒロイック・ファンタジーの熱烈な愛読者であった栗本薫は、日本最初のヒロイック・ファンタジー作家となるべく「氷惑星の戦士」を書いたのですが、高千穂遙の「美獣」が発表されるやこれではパワー不足でとても対抗出来ないと、構想を新たに新シリーズをスタート、それがグイン・サーガでした。

その当時SFマガジンの編集長だった私は、ミステリの世界ですでにベストセラー作家となっていた作家によるヒロイック・ファンタジーに大いに期待しました。しかも、通常は長くとも五、六巻のシリーズ物の巻数が、二十巻を予定しているというのです。

そこでまずSFマガジンで第一作『豹頭の仮面』を百枚四回連載をし、すぐに第一巻

『豹頭の仮面』、第二巻『荒野の戦士』を立て続けに刊行しました。部数も当時のハヤカワ文庫としては破格の初版部数としたのです。

同じ作家の作品とはいえ、江戸川乱歩賞で注目を浴び、メディアにも派手に取り上げられた『ぼくらの時代』と、マニア向けジャンルの作品ではかなり違います。売り上げは当初はかなり苦戦を強いられたものでした。しかし、内容的には文句なく面白く、いったん手にとってさえもらえれば、絶対に読み続けてもらえるという確信がありました。

ただ、少々戸惑ってしまったのは、すでに一巻目を脱稿した時点で、予定よりもかなり長くなりそうだということがわかったことです。最初の予定では一巻で終わる内容が五巻になったところで、巻数がだいぶ増えそうだという予想がつきました。当初の二十巻の企画はすぐに四十巻にかわり、ほどなく全百巻ということになったのです。それでも、売り上げはじりじりと増えていき、やがて爆発的な売り上げを記録するようになっていったのです。

内容もまた、変化していきました。版元が和製ヒロイック・ファンタジーの売り文句でスタートしたシリーズは、やがて陰謀劇やら宮廷絵巻、国々の栄枯盛衰譚となっていきました。もちろん、創作ノートによればそれは既定のことではあったのですが、版元としてもいつまでもヒロイック・ファンタジーとして売っていくわけにはいかなくなり、やがてヒロイック・ファンタジーというキャッチコピーは大河ロマンに変えられました。

そして、四十巻、五十巻と巻を重ねていくうちに、グイン・サーガが従来の小説というものとは違うものであることが次第に明らかになっていきます。グイン・サーガの登場人物達は、それぞれに何十巻分もの過去を背負って場面に登場しています。長くとも数巻で終わる通常の小説では、登場人物の過去は地の文で要領よく説明するほかはありません。しかし、グイン・サーガでは、読者はその場面に至るまでの登場人物の生きてきた何冊分、何十冊分もの物語をあらかじめ読み、彼らの過去を「知って」いるのです。それはあたかも知人の過去を知っているのと似たような感覚をさえおこさせます。

歴史上かつてなかったこの長大な物語の持つ意味は、恐らくそういうことでしょう。そして、それを可能にしたのが栗本薫という稀代の才能の存在だったのです。百三十巻に及ぶ巻数と、それに付随する膨大な数の登場人物をコントロールし、しかも飽くことなく語り続ける個人がいなければグイン・サーガは成立しなかったでしょう。そして、その個人がこの世を去り、物語は本書で終わりを迎えました。

百三十巻に着稿したときにはすでに病勢はかなり進み、三十分とデスクに座り続けることが出来なくなっていました。それでも死力を尽くして書き続けられたのですが、二百枚に達したところで力尽きてしまいました。グイン・サーガの正篇は例外なく四百枚という枚数で書かれていたにもかかわらず、本書が二百枚で終わっているのはそうした事情のためです。

グイン・サーガがこうして突然に終わったとき、他の作者の手によって書き続けてはどうかという意見がありました。最初にそうした意見を目にしたり耳にしたときには、私はそんなことは論外だと思いました。グイン・サーガは栗本薫という作家の手になる物語であり、どんな優秀な作家が手がけようとも、それはグイン・サーガとは違うものになってしまうと考えていたのです。

しかし、私自身が胃がんで入院するという事情のために、出版されるまで目にすることのなかった、新装版グイン・サーガ最終巻のあとがきを読んで、私の考えはかわりました。

……誰かがこの物語を語り継いでくれればよい。どこかの遠い国の神話伝説のように、いろいろな語り部が語り継ぎ、接ぎ木をし、話をこしらえ、さらにあたらしくして、いろんな枝を茂らせながら……

グイン・サーガという特別な物語のあったこと、そしてその物語に熱狂し、人生を共に過ごした人々のいたことがいつまでも語り継がれていくことがあれば、それこそが異世界の住人となった栗本薫のもっとも望んだことだったのではないかと、いまでは思います。グイン・サーガの世界を舞台に新たな物語が書かれてもよいでしょうし、その世界が絵や音楽やゲームで表現されることがあってもよいでしょう。その意味で今年、グイン・サーガがアニメ化されたのも意味のあることであるように思えます。そして、私達の孫のまたその孫の世代になって、物置の隅に忘れられていた古ぼけた「本」というものを開いてみたとき、「それは――《異形》であった」という文字を目にし、薄暗い物置で不思議そうに先を読み続けることがあったとしたら、それはとても素敵なことでしょう。

この解説の最後は、栗本薫脚本によるミュージカル、「炎の群像」のエンディング・テーマの一節で締めくくりたいと思います。

グイン　この世界いま　グイン　語りつぐため
人は　歌い出す　はるかなときをこえて
神の前に人は生き　死んでゆく　夢を探し続け
グイン　物語いま　グイン　語り伝える
グイン　物語いま　グイン　語り伝える

天狼星通信オンラインURL
http://homepage3.nifty.com/tenro

「天狼叢書」「浪漫之友」などの同人誌通販のお知らせを含む天狼プロダクションの最新情報は「天狼星通信オンライン」でご案内しています。

情報を郵送でご希望のかたは、返送先を記入し80円切手を貼った返信用封筒を同封してお問い合せください。

(受付締切などはございません)

2009年12月より、同人誌などのほかCDなどを販売をする天狼プロダクションのネットショップ、梓薫堂を開店いたします。詳細は天狼星通信オンラインをご覧ください。

〒152-0004　東京都目黒区鷹番1-15-13-106
㈱天狼プロダクション「情報案内」係

クラッシャージョウ・シリーズ／高千穂遙

連帯惑星ピザンの危機

連帯惑星で起こった反乱に隠された真相をあばくためにジョウのチームが立ち上がった！

撃滅！　宇宙海賊の罠

稀少動物の護送という依頼に、ジョウたちは海賊の襲撃を想定した陽動作戦を展開する。

銀河系最後の秘宝

巨万の富を築いた銀河系最大の富豪の秘密をめぐって「最後の秘宝」の争奪がはじまる！

暗黒邪神教の洞窟

ある少年の捜索を依頼されたジョウは、謎の組織、暗黒邪神教の本部に単身乗り込むが。

銀河帝国への野望

銀河連合首脳会議に出席する連合主席の護衛を依頼されたジョウにあらぬ犯罪の嫌疑が⁉

ダーティペア・シリーズ／高千穂遙

ダーティペアの大復活

ユリとケイが冷凍睡眠から目覚めたら大変なことが。宇宙の危機を救え、ダーティペア！

ダーティペアの大征服

ヒロイックファンタジーの世界を実現させたテーマパークに、ユリとケイが潜入捜査だ！

ダーティペアFLASH 1 天使の憂鬱

ユリとケイが邪悪な意志生命体を追って学園に潜入。大人気シリーズが新設定で新登場！

ダーティペアFLASH 2 天使の微笑

学園での特務任務中のユリとケイだが、恒例の修学旅行のさなか、新たな妖魔が出現する

ダーティペアFLASH 3 天使の悪戯

ユリとケイは、飛行訓練中に、船籍不明の戦闘機の襲撃を受け、絶体絶命の大ピンチに！

星界の紋章／森岡浩之

星界の紋章Ⅰ―帝国の王女―

銀河を支配する種族アーヴの侵略がジントの運命を変えた。新世代スペースオペラ開幕！

星界の紋章Ⅱ―ささやかな戦い―

ジントはアーヴ帝国の王女ラフィールと出会う。それは少年と王女の冒険の始まりだった

星界の紋章Ⅲ―異郷への帰還―

不時着した惑星から王女を連れて脱出を図るジント。痛快スペースオペラ、堂々の完結！

星界の紋章ハンドブック

早川書房編集部編

『星界の紋章』アニメ化記念。第一話脚本など、アニメ情報満載のファン必携アイテム。

星界マスターガイドブック

早川書房編集部編

星界シリーズの設定と物語を星界のキャラクターが解説する、銀河一わかりやすい案内書

星界の戦旗／森岡浩之

星界の戦旗Ⅰ―絆のかたち―

アーヴ帝国と〈人類統合体〉の激突は、宇宙規模の戦闘へ！『星界の紋章』の続篇開幕。

星界の戦旗Ⅱ―守るべきもの―

人類統合体を制圧せよ！ラフィールはジントともに、惑星ロブナスⅡに向かったが。

星界の戦旗Ⅲ―家族の食卓―

王女ラフィールと共に、生まれ故郷の惑星マーティンへ向かったジントの驚くべき冒険！

星界の戦旗Ⅳ―軋《きし》む時空―

軍へ復帰したラフィールとジント。ふたりが乗り組む襲撃艦が目指す、次なる戦場とは？

星界の戦旗ナビゲーションブック

早川書房編集部編

『紋章』から『戦旗』へ。アニメ星界シリーズの針路を明らかにする！カラー口絵48頁

ハヤカワ文庫

クレギオン／野尻抱介

ヴェイスの盲点

ロイド、マージ、メイ——宇宙の運び屋ミリガン運送の活躍を描く、ハードSF活劇開幕

フェイダーリンクの鯨

太陽化計画が進行するガス惑星。ロイドらはそのリング上で定住者のコロニーに遭遇する

アンクスの海賊

無数の彗星が飛び交うアンクス星系を訪れたミリガン運送の三人に、宇宙海賊の罠が迫る

サリバン家のお引越し

メイの現場責任者としての初仕事は、とある三人家族のコロニーへの引越しだったが……

タリファの子守歌

ミリガン運送が向かった辺境の惑星タリファには、マージの追憶を揺らす人物がいた……

傑作ハードＳＦ

アフナスの貴石
野尻抱介

ロイドが失踪した！　途方に暮れるマージとメイに残された手がかりは〝生きた宝石〟？

ベクフットの虜
野尻抱介

危険な業務が続くメイを両親が訪ねてくる⁉　しかも次の目的地は戒厳令下の惑星だった‼

終わりなき索敵 上下
谷　甲州

第一次外惑星動乱終結から十一年後の異変を描く、航空宇宙軍史を集大成する一大巨篇！

目を擦る女
小林泰三

この宇宙は数式では割り切れない。著者の暗黒面７篇を収録する、文庫オリジナル短篇集

記憶汚染
林　譲治

携帯端末とＡＩの進歩が人類社会から客観性を消し去った時……衝撃の近未来ハードＳＦ

ハヤカワ文庫

神林長平作品

敵は海賊・海賊版

海賊課刑事ラテルとアプロが伝説の宇宙海賊匋冥に挑む！　傑作スペースオペラ第一作。

敵は海賊・猫たちの饗宴

海賊課をクビになったラテルらは、再就職先で仮想現実を現実化する装置に巻き込まれる

敵は海賊・海賊たちの憂鬱

ある政治家の護衛を担当したラテルらであったが、その背後には人知を超えた存在が……

敵は海賊・不敵な休暇

チーフ代理にされたラテルらをしりめに、人間の意識をあやつる特殊捜査官が匋冥に迫る

敵は海賊・海賊課の一日

アプロの六六六回目の誕生日に、不可思議な出来事が次々と……彼は時間を操作できる!?

ハヤカワ文庫

小川一水作品

第六大陸 1

二〇二五年、御鳥羽総建が受注したのは、工期十年、予算千五百億での月基地建設だった

第六大陸 2

国際条約の障壁、衛星軌道上の大事故により危機に瀕した計画の命運は……。二部作完結

復活の地 I

惑星帝国レンカを襲った巨大災害。絶望の中帝都復興を目指す青年官僚と王女だったが…

復活の地 II

復興院総裁セイオと摂政スミルの前に、植民地の叛乱と列強諸国の干渉がたちふさがる。

復活の地 III

迫りくる二次災害と国家転覆の大難に、セイオとスミルが下した決断とは？ 全三巻完結

著者略歴　早稲田大学文学部卒
作家　著書『さらしなにっき』
『あなたとワルツを踊りたい』
『謎の聖都』『運命の子』（以上
早川書房刊）他多数

HM=Hayakawa Mystery
SF=Science Fiction
JA=Japanese Author
NV=Novel
NF=Nonfiction
FT=Fantasy

グイン・サーガ130

見《み》知《し》らぬ明日《あす》

〈JA975〉

二〇〇九年十二月　十　日　印刷
二〇〇九年十二月十五日　発行

（定価はカバーに表示してあります）

著者　栗《くり》本《もと》薫《かおる》
発行者　早川　浩
印刷者　大柴正明
発行所　株式会社　早川書房

郵便番号　一〇一 - 〇〇四六
東京都千代田区神田多町二ノ二
電話　〇三 - 三二五二 - 三一一一（大代表）
振替　〇〇一六〇 - 三 - 四七七九九
http://www.hayakawa-online.co.jp

乱丁・落丁本は小社制作部宛お送り下さい。
送料小社負担にてお取りかえいたします。

印刷・株式会社亨有堂印刷所　製本・大口製本印刷株式会社
JASRAC　出 0914576-901

ISBN978-4-15-030975-6 C0193